СИДНИ ШЕЛДОН

Москва
АСT
1999

Sidney SHELDON

Morning, Noon, and Night

AST

Сидни ШЕЛДОН

Утро, день, ночь

АСТ

УДК 820(73)-31
ББК 84(7США)
Ш 42

Sidney Sheldon

MORNING, NOON, AND NIGHT
1995

Перевод с английского В.А.Вебера

Серийное оформление А.А.Кудрявцева

*Публикуется с разрешения автора
и его литературных агентов
Morton L.Janklow Associates, Inc. (New York)
и "Права и Переводы" (Москва)*

Шелдон С.

Ш42   Утро, день, ночь: Роман/Пер. с англ. В. А. Вебера.— М.: ООО «Фирма «Издательство АСТ», 1999.— 400 с.

ISBN 5-237-01748-7.

Впервые на русском языке — новый остросюжетный роман полюбившегося читателям автора захватывающих бестселлеров. Смерть миллиадера Гарри Стенфорда повлекла за собой цепь невероятных, трагических событий.

УДК 820(73)-31
ББК 84(7США)

ISBN 5-237-01748-7

Открой сердце утреннему солнцу,
Пусть согреет его, пока ты молод.
И позволь ласковым ветрам полдня
Охладить твою страсть.
Но остерегайся ночи,
Смерть таится там
И ждет, ждет, ждет.

Артюр Рембо

Кимберли с любовью

УТРО

Глава 1

— Вы знаете, что за нами следят, мистер Стенфорд? — спросил Дмитрий.

— Да. — Он заметил их двадцать четыре часа тому назад.

Неприметно одетые двое мужчин и женщина пытались затеряться среди туристов, гуляющих ранним утром по вымощенным брусчаткой улочкам, но в такой крошечной деревеньке, как Сен-Поль-де-Ванс, остаться незамеченным практически невозможно.

Гарри Стенфорд обратил на них внимание именно потому, что они очень уж старались не смотреть на него. Когда бы он ни оборачивался, один из них маячил позади.

Следить за Гарри Стенфордом не требовало большого ума. Рост шесть футов, падающие на воротник седые волосы, аристократическое надменное лицо. Да и его свита приковывала к себе любопытные взгляды: очаровательная брюнетка, белоснежная немецкая овчарка и Дмитрий Камински, возвышающийся над Стенфордом на четыре дюйма телохранитель с бычьей шеей и покатым лбом. «Таких, как мы, упустить невозможно», — подумал Стенфорд.

Он знал, кто их послал и почему, он чувствовал, что ему грозит опасность. А Стенфорд давно уже привык доверять своим чувствам. Инстинкты и интуиция помогли ему стать одним из богатейших людей планеты. Журнал «Форбс» оценил «Стенфорд энтерпрайзез» в шесть миллиардов долларов, «Форчун 500» — даже в семь. «Уолл-стрит джорнэл», «Бэрронс», «Файнэншл таймс» — все публиковали статьи о Гарри Стенфорде, пытаясь объяснить его загадочность, его удивительное умение действовать в наилучший для этого момент, безошибочность принимаемых им решений, совокупность присущих ему качеств, обеспечивших создание гигантской империи, имя которой «Стенфорд энтерпрайзез». Успеха не добился никто.

Но все сходились в одном: Стенфорд обладал маниакальной, неистощимой энергией. Его жизненная философия ни для кого не составляла тайны: день, прошедший без заключения сделки, потрачен зря. Он выматывал своих конкурентов, своих сотрудников, всех тех, кто каким-то образом попадал в его орбиту. Он являл собой феноменальное творение природы. Считал себя верующим. Он верил в Бога, и Бог, в которого он верил, хотел, чтобы ему сопутствовали богатство и успех, а его враги умерли.

Гарри Стенфорд вел общественную жизнь, и пресса знала о ней все. Гарри Стенфорд имел право на личную жизнь, и тут пресса натыкалась на глухую стену. Они писали о его харизме, его роскошествах, его самолете и его яхте, его великолепных домах в Хоуб-Саунде, в Марокко, на Лонг-Айленде, в Лондоне, на юге Франции и, естественно, о его поместье Роуз-Хилл, неподалеку от

Бэк-Бей, в Бостоне. Но настоящий Гарри Стенфорд оставался для всех terra incognita.

— Куда мы идем? — спросила брюнетка.

Поглощенный своими мыслями, он не ответил. Следившая за ним женщина на другой стороне улицы только что поменяла партнера. Опасность опасностью, но Стенфорд почувствовал, как его охватила злость. Какого черта они приперлись сюда! Как посмели испоганить тайное святилище, где он мог укрыться от остального мира.

Сен-Поль-де-Ванс — живописная средневековая деревушка, прилепившаяся на вершине холма в Приморских Альпах, между Каном и Ниццей. Она окружена живописными холмами и долинами. Тут и цветы, и яблоневые сады, и сосновые рощи. Деревушка, в которой полным-полно студий, галерей, антикварных магазинчиков, как магнитом притягивает туристов со всего мира.

Гарри Стенфорд и его сопровождающие повернули на рю Гранд.

Стенфорд обратился к брюнетке.

— София, тебе нравятся музеи?

— Да, caro[*]. — Ей хотелось во всем с ним соглашаться.

С таким, как Гарри Стенфорд, ей раньше сталкиваться не доводилось. «Скорей бы рассказать о нем mie amice[**], — думала она. — Я-то полагала, что в сексе для

---

[*] Дорогой (итал.). — *Здесь и далее примечания переводчика.*
[**] Моим подругам (итал.).

меня тайн нет, но, мой Бог, какой же он выдумщик! Он просто выжимает из меня все соки!»

Они поднялись на холм к художественному музею Фонда Магта, осмотрели коллекцию картин Боннара, Шагала и многих других современных художников. Словно бы невзначай обернувшись, Гарри Стенфорд увидел в дальнем конце галереи женщину, что следила за ним. Она не могла оторвать взгляда от творения Миро.

Стенфорд посмотрел на Софию.

— Хочешь есть?

— Да. Если и ты проголодался.

— Хорошо. На ленч пойдем в «Ла Коломб д'Ор».

«Коломб д'Ор» входил в число любимых ресторанов Стенфорда. Дом на окраине деревни, построенный в шестнадцатом веке, переделали под отель и ресторан. Стенфорд и София сели за столик в саду, у бассейна.

Принц, белоснежная немецкая овчарка, лег у ног Стенфорда, навострив уши. Без Принца Гарри Стенфорд не появлялся. Куда бы он ни шел, Принц всегда следовал за ним. Говорили, что по команде Стенфорда овчарка могла вцепиться в горло любому. Желающих проверить, так ли это, не находилось.

Дмитрий сел за столик у входа в ресторан, внимательно приглядываясь к тем, кто входил и выходил.

Стенфорд наклонился к Софии.

— Позволишь мне сделать заказ, дорогая?

— Конечно.

Гарри Стенфорд считал себя гурманом. Он заказал

зеленый салат и fricassee de lotte[*] и для себя, и для Софии.

Когда им принесли главное блюдо, к столику подошла Даниэль Ру. Отель и ресторан принадлежали ей и ее мужу Франсуа.

— Bonjour, месье Стенфорд. Вы всем довольны, месье Стенфорд?

— Более чем, мадам Ру.

«И так будет всегда, — думал он. — Напрасно эти пигмеи пытаются свалить гиганта. Их ждет жестокое разочарование».

— Я здесь никогда не бывала, — подала голос София. — Очаровательная деревня.

Стенфорд соблаговолил обратить на нее свое внимание. Дмитрий нашел ее днем раньше в Ницце. По просьбе Стенфорда.

— Мистер Стенфорд, ваше поручение выполнено.

— Были проблемы? — поинтересовался Стенфорд.

Дмитрий усмехнулся.

— Никаких.

Увидев ее в вестибюле отеля «Негреско», он подошел к ней.

— Позвольте спросить, вы говорите по-английски?

— Да. — Она говорила с итальянским акцентом.

— Мужчина, у которого я работаю, приглашает вас пообедать с ним.

— Я не puttana[**], — возмущенно воскликнула она. — Я актриса. — В действительности она снялась в

_____
* Фрикасе из налима (*фр.*).
** Шлюха (*итал.*).

крошечной роли без слов в последнем фильме Пупи Авати и произнесла две фразы в фильме Джузеппе Торнаторе. — Почему я должна обедать с совершенно незнакомым мне человеком?

Дмитрий достал из кармана пачку стодолларовых банкнот и, отсчитав пять купюр, сунул ей в руку.

— Мой приятель очень щедр. У него яхта, и ему одиноко. — Он наблюдал, как негодование на ее лице сменяется любопытством, заинтересованностью.

— Так уж получилось, что съемки одного фильма закончились, а другого — еще не начались. — Она улыбнулась. — Так почему бы мне не пообедать с вашим приятелем. Не вижу в этом ничего предосудительного.

— Хорошо. Он будет доволен.

— А где он?

— В Сен-Поль-де-Ванс.

Дмитрий сделал хороший выбор. Итальянка. Под тридцать. Чувственное лицо. Хорошая фигура, высокая грудь. Глядя на нее, Гарри Стенфорд принял решение.

— Ты любишь путешествовать, София?

— Обожаю.

— Хорошо. Нам предстоит маленькое путешествие. Я сейчас.

София наблюдала, как он вошел в ресторан и направился к телефону-автомату у мужского туалета. Бросил в щель жетон, набрал номер.

— Морской коммутатор, пожалуйста.

Пауза в несколько секунд, женский голос: «C'est l'operatrice maritime»[*].

---

[*] Морской коммутатор (*фр.*).

— Соедините меня с яхтой «Голубые небеса». Виски-Браво-Лима*-восемь-девять-ноль...

Разговор длился пять минут. Потом Стенфорд позвонил в аэропорт Ниццы, уложившись в две минуты.

Повесив трубку, он подошел к Дмитрию, что-то сказал, и тот спешно покинул ресторан. Стенфорд же вернулся за столик.

— Ты готова?

— Да.

— Тогда пройдемся. — Ему требовалось время, чтобы начать осуществление намеченного плана.

Стоял прекрасный день. Солнце подсвечивало розовым облака у горизонта и заливало улицы серебряным светом.

Пройдя рю Гранд, мимо Eglise, прекрасной церкви XII века, они завернули в boulangerie** за только что испеченным хлебом. Когда они вновь вышли на улицу, один из следившей за ними троицы внимательно разглядывал церковь. Поджидал их и Дмитрий.

Гарри Стенфорд протянул хлеб Софии.

— Почему бы тебе не отнести хлеб в дом? Я приду через несколько минут.

— Хорошо. — Она улыбнулась и добавила: — Не задерживайся, caro.

После ее ухода Стенфорд подозвал Дмитрия.

— Что ты выяснил?

— Женщина и один из мужчин остановились в отеле «Хутор», что по дороге в Ла-Коль.

---

  * Условные названия букв W, B, L английского фонетического алфавита.
  ** Булочная-пекарня (*фр.*).

Стенфорд знал этот отель. Выкрашенный в белый цвет фермерский дом с яблоневым садом в миле к западу от Сен-Поль-де-Ванс.

— А второй?

— В «Артиню». — Этот отель, в прошлом — дворянский особняк, стоял на холме в двух милях к западу от Сен-Поль-де-Ванс. — Что прикажете с ними сделать, сэр?

— Ничего. Я разберусь с ними сам.

Вилла Стенфорда находилась на рю Де Казет, рядом с мэрией, в районе узких вымощенных булыжником улочек и старинных домов. Вилла со сложенными из камня и оштукатуренными стенами имела пять уровней. Старая пещера под гаражом использовалась под винный погреб. Каменная лестница вела к спальням, кабинету и веранде под черепичной крышей. Вилла была обставлена французской антикварной мебелью. В комнатах стояли свежесрезанные цветы.

Когда Стенфорд вернулся, София ждала его в спальне. В костюме Евы.

— Что тебя так задержало? — прошептала она.

Для того, чтобы выжить, София Маттео между съемками подрабатывала проституцией, поэтому она привыкла изображать оргазм, дабы доставить удовольствие клиентам, но с этим мужчиной притворяться не было нужды. Он не знал устали, и она вновь и вновь поднималась на вершину блаженства.

Когда они утолили любовный пыл, София обняла

Стенфорда и радостно прошептала: «Я бы могла остаться здесь навсегда, саго».

«Не получится», — мрачно подумал он.

Они пообедали в «Кафе де ла Плас» на площади Генерала де Голля у въезда в деревню. Кормили там превосходно, а нависшая над ним опасность служила Стенфорду дополнительной приправой.

После обеда они вернулись на виллу. Стенфорд шагал медленно, дабы убедиться в том, что он по-прежнему «под колпаком».

В час ночи мужчина, стоявший на другой стороне улицы, увидел, как на вилле одно за другим погасли окна и все здание погрузилось в темноту.

В половине пятого Гарри Стенфорд вошел в спальню для гостей, где спала София, и осторожно потряс ее за плечо.

— София.

Она открыла глаза, посмотрела на него, улыбнулась, но тут же нахмурилась, увидев, что он полностью одет, и села на постели.

— Что-то не так?

— Нет, дорогая. Все в порядке. Ты же сказала, что тебе нравится путешествовать. Так вот, нам предстоит небольшое турне.

Теперь она окончательно проснулась.

— Прямо сейчас?

— Да. Мы должны уехать по-тихому.

— Но...

— Поторопись.

Пятнадцать минут спустя Гарри Стенфорд, София,

Дмитрий и Принц спустились по каменной лестнице в гараж, где стоял коричневый «рено». Дмитрий отворил ворота и осторожно выглянул на улицу. Никого и ничего, кроме белого «корниша» Стенфорда, припаркованного перед домом.

— Все чисто.

Стенфорд повернулся к Софии.

— Давай поиграем в полицейских и воров. Мы с тобой сейчас заберемся в кабину «рено» и ляжем на пол у заднего сиденья.

У Софии округлились глаза.

— Зачем?

— Мои деловые конкуренты установили за мной слежку. Мне предстоит подписание очень крупного контракта, и они стараются выяснить кое-какие подробности. Если их замысел удастся, мне это будет стоить больших денег.

— Я понимаю. — Разумеется, она понятия не имела, о чем он говорит.

Через пять минут они уже выезжали из деревни по шоссе, ведущему в Ниццу. Мужчина, сидевший на скамье в дюжине метров от дороги, уделил коричневому «рено» максимум внимания. Заметил он и Камински за рулем, и Принца, восседавшего на переднем сиденье. Мужчина торопливо достал из кармана сотовый телефон и начал набирать номер.

— У нас трудности, — сообщил он женщине.

— В каком смысле?

— Мимо меня только что проскочил коричневый «рено». Дмитрий Камински за рулем, собака рядом с ним.

— А Стенфорда в машине не было?

— Нет.

— Я в это не верю. Ночью телохранитель никогда не оставляет его одного, да и собака всегда рядом с ним.

— А «корниш» по-прежнему припаркован перед виллой? — спросил второй мужчина из троицы, ведущей слежку за Стенфордом.

— Да, но, возможно, он поменял машины.

— А может, решил задурить нам головы. Позвони в аэропорт.

Через несколько минут они уже говорили с диспетчерским пунктом.

— Самолет месье Стенфорда? Oui*. Прибыл час назад и уже дозаправлен.

Пять минут спустя двое из троицы мчались в аэропорт, а третий остался наблюдать за виллой.

Когда коричневый «рено» миновал Ла-Коль-сюр-Луп, Стенфорд перебрался на заднее сиденье.

— Теперь можем и сесть, — сказал он Софии и повернулся к Дмитрию. — В аэропорт Ниццы. Быстро.

---

* Да (фр.).

Глава 2

Полчаса спустя в аэропорту Ниццы переоборудованный «Боинг-727» подруливал к точке разгона на взлетно-посадочной полосе.

— Видать, не терпится им взлететь, — диспетчер посмотрел на своего напарника. — Пилот третий раз просит разрешения на взлет.

— А чей это самолет?

— Гарри Стенфорда. Самого короля Мидаса.

— Наверное, он очень торопится заработать еще один миллиард.

Диспетчер проводил взглядом ушедший в небо «лиджет» и взял микрофон.

— «Боинг» восемь девять пять Папа*, говорит диспетчерский контрольный пункт Ниццы. Взлет разрешен. Пятая полоса. После взлета поворачивайте направо. Курс один четыре ноль.

Пилот и второй пилот Гарри Стенфорда облегченно переглянулись. Второй пилот нажал кнопку микрофона.

— Роджер**. «Боингу» восемь девять пять Папа

_____
* Условное обозначение английской буквы P.
** Условное слово, в зависимости от ситуации означающее «понял», «принял ваше последнее сообщение», «все в порядке», «разрешаю».

взлет разрешен. Поворачиваю направо, курс один четыре ноль.

Мгновение спустя громадный самолет, набирая скорость, помчался по взлетной полосе и свечой ушел в серое предрассветное небо.

Второй пилот вновь заговорил в микрофон.

— Диспетчерский пункт, «боинг» восемь девять пять Папа поднимается до высоты три тысячи в полетный коридор семь ноль.

Второй пилот повернулся к пилоту.

— Слава Богу, взлетели! Старина Стенфорд, видать, очень этого хотел.

Пилот пожал плечами.

— Какая нам разница, чего он хотел. Наша задача — выполнить приказ или умереть. Чего он там делает?

Второй пилот поднялся, подошел к двери и заглянул в салон.

— Отдыхает.

Они позвонили в диспетчерский пункт из машины.

— Самолет мистера Стенфорда... Он еще в аэропорту?

— Non, monsieur*. Только что взлетел.

— Пилот заполнил полетный лист?

— Разумеется, месье.

— Куда летит самолет?

— В Джи-Эф-Кей**.

---

* Нет, месье (*фр.*)
** Инициалы Джона Фицджералда Кеннеди, в честь которого назван международный аэропорт Нью-Йорка.

— Благодарю вас. — Звонивший повернулся к женщине. — Кеннеди. Наши люди его там встретят.

— За нами не могут следить, Дмитрий? — спросил Гарри Стенфорд, когда коричневый «рено» въехал в Монте-Карло, держа курс на границу с Италией.

— Нет, сэр. Они нас потеряли.

— Хорошо, — Гарри Стенфорд откинулся на спинку сиденья, расслабился. Волноваться не о чем. Они будут следить за самолетом.

Он вновь обдумал сложившуюся ситуацию. Вопрос в том, что им известно и где они это узнали. Шакалы, преследующие льва в надежде, что смогут его завалить. Гарри Стенфорд улыбнулся. Они явно недооценивали человека, с которым связались. Те, кто уже допускал такую же ошибку, дорого за это заплатили. Заплатят и на этот раз. Будут знать, как вставать на пути Гарри Стенфорда, доверенного лица королей и президентов, достаточно богатого и могущественного, чтобы подорвать экономику дюжины стран. И все же...

«Боинг-727» летел над Марселем, когда пилот включил микрофон.

— Марсель, «боинг» восемь-девять-пять-Папа на связи, поднимаюсь из полетного коридора один десять ноль в полетный коридор два три ноль.

— Роджер.

В Сан-Ремо они прибыли на рассвете. Об этом городе у Гарри Стенфорда сохранились самые приятные воспоминания, но с тех пор он разительно переменился в худшую сторону. Стенфорд помнил первоклассные отели и рестораны, казино, куда не пускали без черного галстука, где за вечер спускались или выигрывались целые состояния. Теперь же город сдался ордам туристов, а столы с рулеткой облепляли горластые мужчины в футболках или рубашках с короткими рукавами.

«Рено» покатил дальше, к порту, расположенному в двенадцати милях от франко-итальянской границы. Из двух его причалов восточный назывался Порто-Соль, а западный — Порто-Комюналь. На Порто-Соль швартовкой руководил сотрудник порта. На Порто-Комюналь команда обходилась своими силами.

— Который? — спросил Дмитрий.

— Порто-Комюналь, — распорядился Стенфорд. «Чем меньше людей нас увидят, тем лучше», — мысленно добавил он.

— Да, сэр.

Еще через пять минут «рено» остановился у «Голубых небес», элегантной моторной яхты длиной в сто восемьдесят футов. Капитан Вакарро и команда из двенадцати человек выстроились на палубе. Капитан поспешил на причал, чтобы приветствовать хозяина.

— Доброе утро, синьор Стенфорд. Мы возьмем ваш багаж...

— Багажа нет. Давайте отчаливать.

— Да, сэр.

— Подождите. — Стенфорд оглядел команду и нахмурился. — Мужчина, что стоит последним, новенький, не так ли?

— Да, сэр. Наш стюард заболел на Капри, поэтому мы взяли его. У него превосходные...

— Избавьтесь от него, — приказал Стенфорд.

Капитан недоуменно вытаращился на хозяина.

— Изба...

— Рассчитайте его. Высадите на берег.

Капитан Вакарро кивнул.

— Да, сэр.

Гарри Стенфорда переполняла тревога. Он физически чувствовал надвигающуюся опасность и не хотел, чтобы на борту были незнакомые ему люди. Капитан Вакарро и его команда служили у него много лет. Он мог им доверять. Стенфорд повернулся к Софии. Поскольку на нее выбор Дмитрия пал совершенно случайно, она опасности не представляла. Что же касается Дмитрия, его верный телохранитель не единожды спасал ему жизнь. Стенфорд посмотрел на Дмитрия.

— Держись рядом со мной.

— Да, сэр.

Стенфорд взял Софию под руку.

— Поднимемся на борт, дорогая.

Дмитрий Камински стоял на палубе, наблюдая за приготовлением команды к отплытию. Он оглядел порт, но не заметил ничего подозрительного. В эти ранние часы жизнь в порту практически замирала. Завибрировала палуба: включились мощные дизели яхты.

Капитан подошел к Гарри Стенфорду.

— Вы не сказали, куда мы плывем, синьор Стенфорд.

— Неужели не сказал, капитан? — на мгновение он задумался. — Портофино.

— Да, сэр.

— Кстати, прошу выключить радиопередатчик.

Капитан Вакарро нахмурился.

— Выключить радиопередатчик? Да, сэр, но... если...

— Ни о чем не беспокойтесь. Просто выполняйте приказ. И я не хочу, чтобы кто-либо пользовался спутниковой связью.

— Будет исполнено, сэр. Мы задержимся в Портофино?

— Я дам вам знать, капитан.

Гарри Стенфорд устроил Софии экскурсию по яхте. Такие экскурсии он обожал, потому что ему было чем гордиться. Интерьер яхты поражал воображение. Роскошная главная каюта включала гостиную и кабинет. Обстановка кабинета состояла из дивана, нескольких удобных кресел и стола с телефонами, факсами и прочим коммуникационным оборудованием, вполне достаточным, чтобы держать под контролем нити управления жизнедеятельностью небольшого города. На стене огромная электронная карта с движущейся крохотной лодкой показывала местоположение яхты на текущий момент. Дверь из главной каюты вела на палубную веранду с шезлонгами и столиком с четырьмя стульями. По периметру веранду огибало декоративное ограждение с поручнем из тикового дерева. В солнечные дни Стенфорд обычно завтракал на веранде.

Для гостей предназначалось шесть кают со стенами, обтянутыми шелком, большими иллюминаторами и ваннами с «джакузи». Любителей книги ждала большая библиотека.

В столовой стоял стол на шестнадцать персон. На нижней палубе желающие могли поразмяться в тренажерном зале. Нашлось место на яхте и для винного погреба, и для уютного кинозала. Гарри Стенфорду принадлежала одна из самых больших порнографических фильмотек. Мебель кают неплохо смотрелась бы и во дворцах, а картины на стенах сделали бы честь любому музею.

— Я тебе показал практически все. Остальное досмотрим завтра, — этими словами Стенфорд завершил экскурсию.

София млела от восторга.

— Я никогда не видела ничего подобного! Это.. это целый город!

Гарри Стенфорд улыбнулся: другого он и не ожидал.

— Стюард покажет тебе твою каюту. Будь как дома. А мне надо поработать.

Гарри Стенфорд вернулся в кабинет, взглянул на электронную карту. Яхта плыла на северо-восток по Лигурийскому морю. «Они не знают, где я, — думал Стенфорд. — Они ждут меня в Джи-Эф-Кей. Когда мы доберемся до Портофино, я все улажу».

На высоте тридцать пять тысяч футов пилот «Боинга-727» получил новые инструкции.

— «Боинг» восемь девять пять Папа, вам открыт верхний коридор Дельта-Индиа-Новембер*.

— Роджер. «Боингу» восемь девять пять Папа разре-

---

* Условные обозначения букв D, I, N.

24

шен верхний коридор «Динард». — Он повернулся ко второму пилоту. — Путь свободен.

Пилот потянулся, встал и шагнул к двери, ведущей в салон.

— Как там наш пассажир? — спросил второй пилот.

— По-моему, проголодался.

Глава 3

Лигурийское побережье называют Итальянской Ривьерой, и простирается оно от границы с Францией до Генуи, а затем к заливу Ла-Специя. Великолепное полукружье пляжей, вода, искрящаяся в лучах солнца, портовые города Портофино и Верацце, а вдали Эльба, Сардиния, Корсика.

Яхта приближалась к Портофино. Глазам ее пассажиров открывался великолепный вид. Сбегающие к морю холмы, оливковые рощи, кипарисы, сосны, пальмы. Гарри Стенфорд, София и Дмитрий стояли на палубе, не отрывая глаз от побережья.

— Ты часто бывал в Портофино? — спросила София.

— Случалось.

— А где ты обычно живешь?

«Очень уж прямой вопрос», — отметил про себя Стенфорд.

— Тебе понравится Портофино, София. Это прекрасный город.

К ним подошел капитан Вакарро.

— Прикажете подавать ленч, синьор Стенфорд?

— Нет, мы перекусим в «Сплендидо».

— Очень хорошо. Отплываем сразу после ленча?

— Думаю, нет. Давайте насладимся красотой города.

Капитан Вакарро недоуменно покачал головой. То Гарри Стенфорд страшно торопится, то совсем не спешит. И это при отключенном радио? Такое и представить-то трудно. Pazzo[*]!

Яхта «Голубые небеса» бросила якорь на рейде, а Стенфорд, София и Дмитрий добрались до берега на катере. Маленький уютный город сразу располагал к себе. Дорога, уходящая в глубь побережья, живописные магазинчики и траттории, вытащенные на берег рыбачьи лодки.

Стенфорд посмотрел на Софию.

— Мы перекусим в отеле на вершине холма. Оттуда открывается изумительный вид. — Он указал на несколько такси, стоящих на набережной. — Поезжай туда. Я присоединюсь к тебе через несколько минут, — и протянул ей деньги.

— Хорошо, caro.

Стенфорд проводил ее взглядом и повернулся к Дмитрию.

— Мне надо позвонить.

«Но не с яхты», — подумал Дмитрий. Мужчины направились к двум телефонным будкам. Стенфорд вошел в одну, снял трубку, бросил жетон.

— Прошу соединить меня с Объединенным банком Швейцарии в Женеве.

_____
[*] Сумасброд (итал.).

27

Во вторую телефонную будку попыталась войти женщина.

Дмитрий заступил ей путь.

— Извините, — запротестовала женщина, — но я...

— Я жду звонка[*], — отрезал телохранитель.

Женщина удивленно посмотрела на него, потом перевела взгляд на вторую будку, в которой стоял Стенфорд.

— Я бы на вашем месте не терял времени, — буркнул Дмитрий. — Он будет говорить долго.

Женщина пожала плечами и двинулась дальше.

— Алло? — Дмитрий обернулся на голос Стенфорда. — Питер? У нас маленькая проблема. — Стенфорд закрыл дверь будки и заговорил так быстро, что Дмитрий не смог разобрать ни слова. Закончив разговор, повесил трубку и открыл дверь.

— Все в порядке, мистер Стенфорд? — полюбопытствовал Дмитрий.

— Поехали в ресторан.

«Сплендидо» — жемчужина Портофино, отель, из окон которого видна вся изумрудная бухта. Отель предназначен для самых богатых и ревностно оберегает свою репутацию. Гарри Стенфорд и София сели за столик на террасе.

— Ты позволишь мне заказать? — спросил Стенфорд. — У них есть фирменные блюда, которые тебе наверняка понравятся.

— Конечно, — ответила София.

---

[*] В некоторых странах телефоны-автоматы обеспечивают двустороннюю связь.

Стенфорд заказал trenette al pesto, местные макароны, телятину и focaccia, подсоленный хлеб, который выпекали только в этой округе.

— И принесите нам бутылку «шрема» восемьдесят четвертого года. — Он повернулся к Софии. — Это вино получило медаль на международной выставке в Лондоне. Виноградник принадлежит мне.

Она улыбнулась.

— Тебе повезло.

Везение не имело к этому никакого отношения.

— Я уверен, что человек имеет право услаждать свой желудок. — Он накрыл ее руку своей. — И не только желудок. Ему не чужды никакие радости.

— Ты удивительный человек.

— Благодарю.

Комплименты красивых женщин возбуждали Стенфорда. Эта годилась ему в дочери, что возбуждало еще сильнее.

После ленча Стенфорд посмотрел на Софию и плотоядно улыбнулся.

— Давай вернемся на яхту.

— Да, конечно!

Любовником Гарри Стенфорд был ненасытным, страстным и опытным. Он считал, что прежде всего удовлетворение должна получить женщина, а уж потом он сам. Он знал, как разбудить в женщине страсть, как настроить ее на чувственный лад, с его помощью он покорял ранее недостижимые вершины блаженства.

Вторую половину дня они провели в каюте Стенфорда, и любовные утехи вымотали Софию донельзя. Потом Стенфорд оделся и прошел на мостик к капитану Вакарро.

— Отправляемся на Сардинию, синьор Стенфорд? — спросил капитан.

— По пути заглянем на Эльбу.

— Очень хорошо, сэр. Вы всем довольны?

— Да, — кивнул Стенфорд. — Я всем доволен, — он вновь почувствовал возбуждение и вернулся к Софии.

На Эльбу они прибыли на следующий день и бросили якорь в Портоферрайо.

Войдя в воздушное пространство Северо-Американского континента, пилот связался с наземной службой контроля.

— Нью-Йорк-Центр, вас вызывает «боинг» восемь девять пять Папа. Перехожу из полетного коридора два шесть ноль в полетный коридор два четыре ноль.

— Роджер, — ответили ему из Центра. — Идите прямо на Джи-Эф-Кей. Направление подлета один два семь точка четыре.

Из салона донеслось рычание.

— Спокойно, Принц. Будь хорошим мальчиком. Дай-ка я застегну ремень безопасности.

За посадкой «Боинга-727» наблюдали четверо. Стояли они в разных местах, чтобы ни один из прибывших пассажиров не ускользнул от их взглядов. Ждали полчаса. По трапу сошел лишь один пассажир: белоснежная немецкая овчарка.

Портоферрайо — главный торговый центр Эльбы. Улицы — сплошные ряды красиво оформленных витрин с товарами со всего света, вокруг порта — дома, построенные в восемнадцатом столетии, а над ними — цитадель, возведенная двумя веками раньше герцогом Флоренции.

Гарри Стенфорд часто бывал на этом острове, прославившемся после того, как сюда сослали Наполеона Бонапарта. Почему-то именно здесь Стенфорд чувствовал себя как дома.

— Мы осмотрим дом Наполеона, — пообещал он Софии. — Там и встретимся. — Он повернулся к Дмитрию. — Отведи ее к вилле Мулини.

— Да, сэр.

Стенфорд проводил взглядом Дмитрия и Софию. Посмотрел на часы. Время не стояло на месте. Его самолет уже приземлился в аэропорту Кеннеди. Раз они узнали, что его на борту нет, значит, охота началась вновь. «Конечно, им не сразу удастся выйти на мой след, — подумал Стенфорд. — Но до того я уже должен все утрясти».

Он вошел в телефонную будку.

— Я прошу соединить меня с Лондоном, — обратился он к телефонистке. — «Барклайз-бэнк». Один-семь-один...

Полчаса спустя он нашел Софию и повел ее к гавани.

— Мы отплываем. Я только позвоню.

Она наблюдала, как Стенфорд большими шагами идет к телефонной будке, и не могла понять, почему он не пользуется телефонами яхты.

А в будке Стенфорд уже говорил телефонистке: «Банк Сумитомо в Токио...»

Пятнадцать минут спустя он поднялся на борт яхты, кипя от ярости.

— Мы остаемся здесь на ночь? — спросил капитан Вакарро.

— Да, — рявкнул Стенфорд. — Нет! Идем на Сардинию. Немедленно!

Коста-Смеральда — один из самых дорогих курортов Средиземноморья. Маленький городок Порто-Серво — рай для богатых, многие виллы в округе построены Али-Ханом.

Как только они пришвартовались, Гарри Стенфорд направился к телефонной будке.

Дмитрий последовал за ним, естественно, оставшись снаружи.

— Соедините меня с Банка д'Италия в Риме... — Дверь захлопнулась.

Разговор занял полчаса. Из телефонной будки Стенфорд вышел мрачнее тучи. Дмитрию оставалось лишь гадать о происходящем.

На ленч Стенфорд повёл Софию в «Ди Вакка», ресторан на пляже. Заказывал, естественно, Стенфорд.

— Мы начнем с malloreddus[*]. Потом porceddu[**]. Пить будем «верначчию», а на десерт возьмем sebanas[***].

---

[*]   Хлопья из муки, полученной из твердых сортов пшеницы.
[**] Поросенок, приготовленный с миртом и лавровым листом.
[***] Маленькие оладьи со свежим сыром и пропущенной через мясорубку цедрой лимона, залитые медом.

— Bene, signor[*]. — Официант удалился, почувствовав, что имеет дело со знатоком местной кухни.

Стенфорд повернулся к Софии и почувствовал, как у него екнуло сердце. Двое мужчин, сидевших за столиком у входа, пристально смотрели на него. Оба были в темных костюмах, несмотря на яркое солнце. Они даже не притворялись туристами. «Они следят за мной или это совершенно посторонние люди, — подумал Стенфорд. — Похоже, у меня разыгралось воображение. Надо бы успокоиться».

— Я никогда не задавала тебе этого вопроса, — услышал он голос Софии. — Чем ты, собственно, занимаешься?

Стенфорд улыбнулся. До чего приятно общаться с человеком, который ничего о тебе не знает.

— Я удалился от дел. Ушел на покой. Теперь вот путешествую, наслаждаюсь жизнью.

— И все один? — сочувственно спросила она. — Должно быть, тебе бывает очень тоскливо.

Ему с трудом удалось подавить смех.

— Да, случается. Я рад, что сейчас со мной ты.

Она погладила его по руке.

— Я тоже, caro.

Уголком глаза Стенфорд заметил, что двое мужчин уже ушли.

После ленча Стенфорд, София и Дмитрий вернулись в город. Стенфорд вошел в первую же телефонную будку.

---

[*] Хорошо, синьор (*итал.*).

— Соедините меня с банком «Лионский кредит» в Париже...

— Удивительный человек. — София не отрывала глаз от Стенфорда.

— Другого такого нет, — согласился Дмитрий.

— Вы с ним давно?

— Два года.

— Вам повезло.

— Я знаю. — Дмитрий направился к телефонной будке, встал чуть правее ее и услышал слова Стенфорда: «Рене? Ты знаешь, почему я звоню... Да... Да... Сделаешь?.. Чудесно! В его голосе послышалось облегчение. — Нет... не здесь. Давай встретимся на Корсике... Отлично... После нашей встречи я смогу вернуться домой... Спасибо тебе, Рене».

Стенфорд повесил трубку. Постоял, улыбаясь, затем вновь взялся за трубку и позвонил в Бостон. Ответил женский голос:

— Приемная мистера Фитцджералда.

— Это Гарри Стенфорд. Соедините меня с ним.

— О, мистер Стенфорд! Извините, но мистер Фитцджералд в отпуске. Не может ли...

— Нет. Я возвращаюсь в Штаты. Передайте ему, что я хочу встретиться с ним в Роуз-Хилл в понедельник, в девять утра. Пусть захватит с собой экземпляр моего завещания и нотариуса.

— Я попытаюсь..

— Не пытайтесь. Сделайте, дорогая. — Он вновь повесил трубку и постоял какое-то время, глубоко задумавшись. Из телефонной будки он вышел, уже приняв решение.

— У меня есть кое-какие дела, София. Иди в отель «Питрицца» и подожди меня там.

— Хорошо, — игриво ответила она. — Только не задерживайся.

— Не задержусь.

Мужчины проводили ее взглядом.

— Возвращаемся на яхту, — бросил Стенфорд Дмитрию. — Мы отплываем.

Дмитрий изумленно уставился на него.

— А как же...

— Найдет себе другого кавалера, он и отвезет ее домой.

Когда они вернулись на яхту, Стенфорд сразу же поднялся на мостик к капитану Вакарро.

— Идем на Корсику. Готовьтесь к отплытию.

— Я только что получил уточненный прогноз погоды, синьор Стенфорд. К сожалению, обещают сильный шторм. Нам было бы лучше переждать...

— Я хочу, чтобы мы незамедлительно вышли в море, капитан.

Капитан Вакарро замялся.

— Надо ли испытывать судьбу, сэр. Это libeccio — юго-восточный ветер. Нас встретят высокие волны, шквальные порывы ветра.

— Ничего страшного. — Встреча на Корсике решала все проблемы. Стенфорд повернулся к Дмитрию. — Договорись о вертолете. Пусть заберет нас с Корсики и доставит в Марсель. Позвони из телефона-автомата.

— Да, сэр.

Дмитрий Камински сошел на пристань и зашагал к телефонной будке.

Двадцать минут спустя яхта «Голубые небеса» взяла курс на Корсику.

Глава 4

Его идолом был Дэн Куэйл[*], и в своих рассуждениях он часто ссылался на него.

— Мне без разницы, что о нем говорят, он единственный политик, защищающий истинные ценности. Семья — вот основа основ. Без крепкой семьи эта страна полетит в тартарары. Все эти молодые парни и девки, живущие в грехе, рожающие детей, — это катастрофа. Неудивительно, что преступность растет как на дрожжах. Если Дэн Куэйл будет баллотироваться в президенты, я наверняка отдам за него свой голос. — Грустно, конечно, что он не имел права голосовать, все из-за этого идиотского закона, думал он, но из политиков только Куэйл заслуживал избрания на пост президента.

Детей у него было четверо: восьмилетний Билли и три девочки — Эми, Кларисса и Сюзан, соответственно десяти, двенадцати и четырнадцати лет. Чудесные дети, и он обожал их компанию. На уик-энды он просто не принадлежал себе. Все свое время он отдавал детям. Жарил для них мясо, играл с ними, водил в кино и на стадионы, помогал с домашними заданиями. Все соседские дети тоже обожали его. Он чинил им велосипеды

---

[*] Вице-президент США в 1988—1992 гг.

и игрушки, приглашал на пикники, которые устраивал для своей семьи. Его прозвали Папой.

В то солнечное субботнее утро он сидел на трибуне, наблюдая за бейсбольным матчем. Мягкое солнце, редкие белоснежные облака, плывущие по синему небу, и его восьмилетний сын Билли, выглядевший куда взрослее в форме Малой лиги и с битой в руках. Рядом с Папой сидели три дочери и жена. «Ну до чего же все хорошо, — радостно думал он. — И почему другие семьи не могут быть такими же, как наша?»

Игра подходила к концу, счет был равный, Билли готовился отбить мяч.

— Задай им перцу, Билли! — крикнул Папа. — Пусть попотеют.

Билли ждал мяч, но тот летел быстро и низко. Билли взмахнул битой и промахнулся.

Подача перешла к сопернику. С трибун, заполненных родителями и друзьями игроков, неслись радостные крики и горестные стоны. Билли потерянно наблюдал, как команды меняются местами.

— Все нормально, сынок, — выкрикнул Папа. — В следующий раз не промахнешься!

Билли попытался улыбнуться и последовал за остальными игроками, но Джон Коттон, тренер команды, остановил его.

— Уходи с поля! — бросил он.

— Но, мистер Коттон...

— Быстро. Вон отсюда.

Отец Билли с изумлением наблюдал, как его сын покидает поле. «Это же невозможно, — думал он. —

Билли надо дать еще шанс. Я поговорю с мистером Коттоном и все ему объясню». В этот момент зазвонил сотовый телефон. Он ответил после четвертого звонка. Номер знал только один человек. «Ему же известно, что я терпеть не могу заниматься делами в уик-энды», — мелькнула злая мысль.

Он неохотно выдвинул антенну, нажал кнопку, бросил в микрофон: «Слушаю».

Говорил только его собеседник. Папа слушал, время от времени кивая.

— Да, — наконец произнес он. — Я понял и позабочусь об этом. — Он убрал телефон.

— Все в порядке, дорогой? — спросила жена.

— Нет. К сожалению, нет. Меня вызывают на работу. А я собирался пригласить вас завтра на пикник.

Жена взяла его за руку.

— Не волнуйся, дорогой, — по голосу чувствовалось, что она очень его любит. — Твоя работа важнее.

«Не важнее семьи, — мысленно возразил он. — Дэн Куэйл меня бы понял. — Внезапно зачесалась рука. — С чего бы это? — почесываясь, подумал он. — Пожалуй, надо обратиться к дерматологу».

Джон Коттон работал помощником менеджера в местном супермаркете. Крупный мужчина лет пятидесяти с небольшим, он согласился тренировать команду Малой лиги, потому что в ней играл его сын. Эту игру его команда отдала. Из-за Билли.

Супермаркет закрылся, и Джон Коттон шагал к своему автомобилю, когда к нему подошел незнакомец со свертком в руке.

— Извините, мистер Коттон.

— Да?

— Вас не затруднит уделить мне минуту-другую.

— Магазин закрыт.

— О, речь не об этом. Я хотел поговорить с вами о моем сыне. Билли очень расстроен, ведь вы сняли его с игры и сказали, что больше он играть не будет.

— Билли — ваш сын? Я сожалею о том, что он вообще вышел на поле. В будущем такое не повторится.

— Вы несправедливы к нему, мистер Коттон, — с жаром воскликнул Папа. — Я знаю Билли. Он станет отличным игроком. Вот увидите. Уже в следующую субботу...

— Он не будет играть в следующую субботу. Я отчислил его из команды.

— Но...

— Никаких «но». Отчислил, и точка. Если с этим все ясно...

— Нет, не все. — Отец Билли развернул бумагу и достал бейсбольную биту. В его голосе слышались просительные нотки. — Билли играл этой битой. Посмотрите сами, она со щербинами. Нельзя же наказывать его только за то...

— Послушайте, мистер, плевать мне на эту биту. Ваш сын отчислен из команды!

Отец Билли тяжело вздохнул.

— Вы уверены, что ваше решение окончательное?

— Абсолютно.

Коттон протянул руку, чтобы открыть дверцу, и в этот момент отец Билли ударил бейсбольной битой по заднему окну. Стекло, естественно, разлетелось вдребезги.

Коттон вытаращился на него.

— Что... что вы делаете!

— Разогреваюсь, — объяснил Папа и вновь взмахнул битой.

На этот раз удар пришелся по колену Коттона. Джон Коттон вскрикнул и упал на асфальт, корчась от боли.

— Сумасшедший! Помогите!

Отец Билли присел рядом на корточки, обаятельно улыбнулся.

— Еще один крик, и я раздроблю вам вторую коленную чашечку.

Коттон замер, побледнев от ужаса.

— Если мой сын в следующую субботу не выйдет на поле, я убью вас и убью вашего сына. Надеюсь, это понятно?

Коттон заглянул в глаза Папы и кивнул, изо всех сил стараясь не закричать от боли.

— Отлично. О нашем разговоре никому знать не надо. У меня есть друзья.

Папа посмотрел на часы. На ближайший рейс до Бостона он успевает.

Вновь зачесалась рука.

В воскресенье, в семь утра, мужчина, одетый в костюм-тройку и с дорогим кожаным «дипломатом» в руке обогнул Копли-сквер, свернул на Стюарт-стрит и, миновав парк Плаза Кастл, вошел в Бостон-Траст-Билдинг. Он направился прямо к охраннику. В громадном здании арендовали помещения десятки фирм, так что мужчина не сомневался, что охранник просто не может знать всех работающих здесь в лицо.

— Доброе утро, — поздоровался он.

— Доброе утро, сэр. Могу я вам чем-нибудь помочь? Мужчина вздохнул.

— Мне не сможет помочь даже Господь Бог. Они думают, что мне нечем заняться в воскресенье, кроме как выполнять работу, порученную другим.

Охранник сочувственно покивал.

— Я вас понимаю, — и пододвинул регистрационную книгу. — Распишитесь, пожалуйста.

Мужчина расписался и зашагал к лифтам. Его интересовала фирма, расположенная на пятом этаже. Поэтому он поднялся на шестой и спустился по лестнице на один этаж. Нужную ему дверь он без труда нашел по табличке:

«РЕНКУИСТ, РЕНКУИСТ И ФИТЦДЖЕРАЛД,
АДВОКАТЫ»

Оглядевшись, мужчина убедился, что коридор пуст, открыл «дипломат» и достал комплет отмычек. Ему потребовалось пять секунд, чтобы справиться с замком. Он переступил через порог и закрыл за собой дверь.

Старомодная мебель в приемной как нельзя лучше соответствовала духу одной из лучших адвокатских контор Бостона. Мужчина постоял, сопоставляя увиденное с полученными инструкциями, затем двинулся к прорезанной в дальней стене двери, ведущей в комнату, где хранилась документация. Там его встретили металлические сейфы с буквами алфавита на передней панели. Его интересовал только один, помеченный «Р-С». Дверца, естественно, открываться не пожелала.

Из того же «дипломата» мужчина достал ключ-заготовку, напильник и плоскогубцы. Ключ осторожно вставил в замок и чуть повертел из стороны в сторону. Вытащил, внимательно осмотрел черные отметины. Зажав ключ в плоскогубцах, начал выпиливать черное. Вновь вставил ключ в замок, повторил процедуру. При этом он что-то напевал себе под нос и улыбнулся, внезапно поняв, какой мотив вертится у него в голове. «Далекие края».

«Поеду-ка я в отпуск со всей семьей, — радостно подумал он. — В настоящий отпуск. Готов спорить, детям Гавайи понравятся».

Дверца открылась, мужчина выдвинул пару ящиков, нашел нужное ему досье. Вытащив из «дипломата» портативный фотоаппарат «пентакс», он принялся за работу. На съемку у него ушло десять минут. Вынув из «дипломата» несколько салфеток, он прогулялся в туалет и смочил их водой. Вернулся в комнату, где стояли сейфы с документацией, мокрыми салфетками собрал с пола металлические опилки, закрыл сейф, ретировался в коридор, запер дверь адвокатской конторы и покинул административное здание.

Глава 5

В море ближе к вечеру капитан Вакарро заглянул в каюту Гарри Стенфорда.

— Синьор Стенфорд...

— Да?

Капитан указал на электронную карту на стене.

— Боюсь, погода ухудшается. В проливе Бонифачо[*] libeccio дует с максимальной силой. Я предлагаю укрыться в бухте, пока...

Стенфорд оборвал его.

— Это хороший корабль, а вы хороший капитан. Я уверен, что эти трудности вам по плечу.

Капитан Вакарро переминался с ноги на ногу.

— Как скажете, синьор. Я сделаю все, что в моих силах.

— Я в этом уверен, капитан.

Гарри Стенфорд сидел в кабинете, планируя стратегию ближайших дней. Он встретится с Рене на Корсике и все уладит. Потом вертолет доставит его в Неаполь. Он зафрахтует самолет и улетит в Бостон. «Все складывается наилучшим образом, — решил он. —

---

[*] Узкий пролив между островами Корсика и Сардиния.

Мне нужно сорок восемь часов. Всего сорок восемь часов!»

Проснулся он в два часа ночи. Яхту немилосердно качало, за иллюминаторами завывал ветер. Стенфорду случалось попадать в шторм, но этот, пожалуй, был из самых сильных. Гарри Стенфорд поднялся с кровати, оперся о столик, чтобы не упасть, и направился к электронной карте. Яхта находилась в проливе Бонифачо. «Мы должны прибыть в Аяччо через несколько часов, — прикинул он. — А уж там будем в полной безопасности».

События, случившиеся позднее, породили немало версий. В газетах писали, что сильным ветром с палубы сдуло нескольких человек. Стенфорд пытался их спасти, но яхту сильно качнуло, он потерял равновесие и полетел за борт. Дмитрий Камински увидел, как он падает в воду, и тут же бросился к аппарату внутренней связи.

— Человек за бортом! — передал он на капитанский мостик.

Глава 6

Капитан Франсуа Дюрер, шеф корсиканской полиции, пребывал в отвратительном настроении. Остров наводнили туристы, вечно остающиеся без паспортов, бумажников, детей. Жалобы так и сыпались на маленькое полицейское управление, расположенное в доме 2 по бульвару Наполеона, рядом с улицей Сержанта Касалонги.

— Мужчина украл мою сумочку...

— Мой корабль отплыл без меня. Жена на борту...

— Я купил эти часы у уличного торговца. Он подсунул мне пустой футляр...

— В аптеках нет таблеток, которые мне нужны...

Проблемы, проблемы, проблемы. А теперь к ним добавился еще и покойник.

— У меня на это нет времени, — рявкнул капитан.

— Но они ждут, — возразил его помощник. — Что мне им сказать?

Капитану Дюреру не терпелась уехать к любовнице, и у него едва не вырвалось: «Пусть везут труп на какой-нибудь другой остров». Однако он все же возглавлял полицию Корсики.

46

— Ладно, — вздохнул Франсуа Дюрер. — Я их приму.

Минуту спустя в его кабинет вошли капитан Вакарро и Дмитрий Камински.

— Присаживайтесь, — в тоне Дюрера не чувствовалось любезности.

Мужчины сели на стулья.

— А теперь расскажите, что произошло.

— Полной уверенности у меня нет, — начал капитан Вакарро. — Сам я этого не видел... — Он повернулся к Дмитрию Камински. — Вот единственный свидетель. Ему и рассказывать.

Дмитрий глубоко вздохнул.

— Это ужасно. Я работаю... работал у этого человека.

— Кем, месье?

— Телохранителем, массажистом, шофером. Наша яхта этой ночью попала в жестокий шторм. Качало немилосердно. Он попросил сделать ему массаж. Хотел расслабиться. Потом попросил принести ему таблетку снотворного. Я пошел за ней в ванную. Когда вернулся, он стоял на палубной веранде, у поручня. Волны кидали яхту с борта на борт. Он держал в руке какие-то бумаги. Одна вылетела, он попытался схватить ее, потерял равновесие и свалился за борт. Я кинулся, чтобы перехватить его, но не успел. Позвонил в рубку. Капитан Вакарро тут же приказал выключить двигатели. Благодаря героическим усилиям капитана мы его и нашли. Но слишком поздно. Он утонул.

— Очень сожалею. — По тону Дюрера чувствовалось, что ему на все это глубоко наплевать.

— Ветер и волны принесли тело обратно к яхте, — вновь заговорил капитан Вакарро. — Нам просто повезло, а теперь мы хотели бы получить разрешение на отправку тела на родину.

— Это не проблема. — Все-таки он успеет выпить бокал вина с любовницей, прежде чем вернется домой к жене. — Я распоряжусь, чтобы немедленно подготовили свидетельство о смерти и выездную визу для тела. — Дюрер взял блокнот. — Как звали погибшего?

— Гарри Стенфорд.

Дюрер застыл. Потом поднял голову.

— Гарри Стенфорд?

— Да.

— Тот самый Гарри Стенфорд?

— Да.

Будущее капитана Дюрера внезапно окрасилось в радужные тона. Боги осыпали его манной небесной. Гарри Стенфорд — мировая знаменитость! Мимо известия о его смерти не пройдет ни одно информационное агентство, ни одна крупная газета, теле- или радиокомпания. И за самыми свежими сведениями они будут обращаться к нему, капитану Дюреру. Вопрос лишь в том, как использовать сложившуюся ситуацию с максимальной выгодой для себя. Дюрер задумался, уставившись в стену.

— Как быстро мы сможем забрать тело? — спросил капитан Вакарро.

Дюрер повернулся к нему.

— Да, это хороший вопрос. — «Сколько времени потребуется репортерам, чтобы прибыть сюда? Следует ли приглашать на пресс-конференцию капитана яхты?

Нет. К чему делить с ним славу? Я управлюсь один». — Нужно уладить много формальностей. — Он сочувственно покивал. — Подготовить бумаги... — Тяжелый вздох. — На это уйдет неделя, а то и больше.

У капитана Вакарро округлились глаза.

— Неделя или больше? Но вы сказали...

— Есть определенный порядок, — отрезал Дюрер. — И спешка здесь не поможет. — Он вновь взялся за блокнот. — Кто его ближайшие родственники?

Вакарро повернулся к Камински.

— Полагаю, вам надо связаться с его адвокатами в Бостоне, — ответил телохранитель.

— Кто они?

— «Ренкуист, Ренкуист и Фитцджералд».

Глава 7

Хотя на дверной табличке значилось «РЕНКУИСТ, РЕНКУИСТ И ФИТЦДЖЕРАЛД», оба Ренкуиста давно отправились к праотцам. А вот Саймон Фитцджералд и в свои семьдесят шесть оставался мотором команды, состоящей из шестидесяти адвокатов. Худой как спичка, с гривой седых волос и походкой профессионального военного, Фитцджералд в данный момент нервно вышагивал по кабинету. Остановившись перед секретарем, он обратился к ней:

— Когда позвонил мистер Стенфорд, он не собирался дать мне какое-то срочное поручение?

— Нет, сэр. Он лишь сказал, что ждет вас у себя в понедельник, в девять утра, с экземпляром завещания и нотариусом.

— Благодарю вас. Пригласите ко мне мистера Слоуна.

Стив Слоун считался в конторе самым перспективным адвокатом. Лет сорока с небольшим, выпускник Гарвардской юридической школы, высокий, стройный блондин с ярко-синими проницательными глазами, Слоун уверенно шел к креслу главы фирмы. Собственно, Саймон Фитцджералд и сам выбрал его в качестве своего преемника. «Будь у меня сын, — думал он, — я бы хотел, чтобы он во всем походил на Слоуна».

— Вы же должны ловить лосося на Ньюфаундленде. — На лице вошедшего Слоуна читалось недоумение.

— Ситуация изменилась. Присядь, Стив. У нас возникли проблемы.

Стив вздохнул.

— По-моему, это не новость.

— Речь идет о Гарри Стенфорде.

Гарри Стенфорд был их самым значительным клиентом. Дюжина других юридических фирм вела дела различных компаний и корпораций, входящих в «Стенфорд энтерпрайзез», но только «Ренкуист, Ренкуист и Фитцджералд» занималась его личными делами. Кроме самого Фитцджералда, никто из адвокатов никогда не встречался с Гарри Стенфордом, но он давно уже стал для них легендарной личностью.

— И что теперь учудил Стенфорд? — спросил Слоун.

— Умер.

Глаза Слоуна удивленно расширились.

— Что?

— Я только что получил факс от корсиканской полиции. Вчера ночью Стенфорд упал за борт собственной яхты и утонул.

— Мой Бог!

— Мне известно, что ты никогда с ним не встречался, но я представлял его интересы больше тридцати лет. Человек он был сложный. — Фитцджералд откинулся на спинку кресла, вспоминая прошлое. — Существовали два Гарри Стенфорда. Один — для публики, который умел потрясти денежное дерево, а второй — отъявленный сукин сын, обожавший уничтожать людей. Он мог очаровать человека, а мог наброситься, словно кобра. Его отличало раздвоение личности. В нем как бы сочетались и заклинатель змеи, и сама змея.

— Фантастика.

— Я пришел сюда тридцать лет тому назад, вернее, тридцать один. Тогда интересы Стенфорда представлял сам старик Ренкуист. Тебе известно, когда используется фраза «больше, чем жизнь»? Так вот, Гарри Стенфорд действительно был больше, чем жизнь. Если б он не существовал, тебе бы не удалось даже представить себе, что на свете может быть такой человек. Колосс. Неисчерпаемая энергия и безграничное честолюбие. Он активно занимался спортом. В колледже боксировал, играл в поло. Даже в молодости вытворял что-то невероятное. Из моих знакомых, а круг их, как ты знаешь, очень широк, он единственный понятия не имел, что такое сострадание. Инстинктами мог потягаться со стервятником, таким он был злобным и мстительным. Стенфорд обожал привести своих конкурентов к банкротству. Ходили слухи, что на его совести не одно самоубийство.

— Вы нарисовали образ чудовища.

— С одной стороны, да. А с другой, он основал дом сирот на Новой Гвинее и больницу в Бомбее, тратил миллионы на благотворительность, разумеется, анонимно. Никто не знал, чего ждать от него в следующий момент.

— А как он разбогател?

— Ты помнишь мифы Древней Греции?

— Смутно.

— Знаешь историю Эдипа?

Стив кивнул.

— Он убил отца, чтобы жениться на матери.

— Совершенно верно. Гарри Стенфорд пошел примерно тем же путем. Только он убил отца, чтобы получить голосующие акции матери.

Стив воззрился на него.

— Как-как?

Фитцджералд наклонился вперед.

— Началась эта история в тридцатые годы. Отец Гарри хозяйничал в небольшом продуктовом магазине в Бостоне. Дела шли настолько хорошо, что он открыл второй магазин, потом третий, четвертый. Получилась сеть продовольственных магазинов. Когда Гарри окончил колледж, отец сделал его своим партнером, ввел в совет директоров. Как я упоминал, честолюбие Гарри не знало границ. Он мыслил по-крупному. Вместо того, чтобы покупать мясо на мясоперерабатывающих заводах, он собирался завести своих коров и свиней. Он хотел приобрести землю и выращивать собственные овощи, самим изготовлять консервы. Отец с ним не соглашался, они часто спорили.

Потом Гарри пришла в голову самая блестящая идея. Он сказал отцу, что компания должна построить сеть супермаркетов, в которых будет продаваться все, от автомобилей и мебели до страховых полисов, причем со скидкой для членов клуба покупателей. С них Гарри намеревался взимать ежегодный взнос. Отец Гарри решил, что его сын спятил, и отверг идею. Но Гарри не отказался от задуманного. Он пришел к выводу, что от старика пора избавляться, и убедил отца отправиться отдохнуть. Причем надолго. А пока отец отсутствовал, начал обхаживать совет директоров.

Коммивояжер он был блестящий и сумел подать свою идею в лучшем виде. Убедил тетю и дядю голосовать за него. Очаровал других директоров. Приглашал их на ленч, с одним ездил на охоту на лис, с другим играл в гольф. Оттрахал жену третьего, который во всем ее слушался. Но значительная часть голосующих акций находились у матери, и, по существу, ее слово становилось решающим. Гарри уговорил мать отдать ему эти акции и голосовать против мужа.

— Невероятно!

— Когда отец Гарри вернулся, он узнал, что семья выперла его из компании.

— Мой Бог!

— Это еще не все. Гарри не успокоился на достигнутом. Когда его отец попытался войти в контору, его просто туда не пустили. Напоминаю тебе, Гарри тогда едва перевалило за тридцать. В компании его прозвали Айсберг. Но надо отдать ему должное, Стив. Он своими руками превратил «Стенфорд энтерпрайзез» в один из самых крупных конгломератов мира. В сфере интересов корпорации лес, химия, связь, электроника, операции с недвижимостью. А контрольный пакет акций у него.

— Незаурядный был человек.

— Именно так. Как с мужчинами... так и с женщинами.

— Он женился?

Саймон Фитцджералд долго молчал, погруженный в воспоминания.

— Гарри Стенфорд женился на одной из самых прекрасных женщин, каких мне только доводилось видеть. Эмили Темпл. Она родила ему троих детей, двух мальчиков и девочку. Эмили происходила из очень уважаемой семьи Хоуб-Саунда, что во Флориде. Она вышла замуж за Гарри и пыталась не замечать его связей с женщинами, но однажды не выдержала. Детям она наняла молодую и симпатичную гувернантку Розмари Нелсон. Розмари отказала Гарри Стенфорду, отчего стала для него еще более симпатичной и желанной. Ее упорство сводило его с ума. Он не привык к слову «нет» и пустил в ход все свое обаяние. Думаю, перед ним не устояла бы и святая. Так что в итоге Розмари оказалась в его постели. Она забеременела и отправилась к доктору. К сожалению, сын доктора вел колонку в газете. Он прознал об этой истории и поделился имеющимися у него сведениями с читателями. Разразился громкий скандал. Бостон есть Бостон. Газеты только об этом и писали. У меня где-то сохранились вырезки.

— Эта женщина сделала аборт?

Фитцджералд покачал головой.

— Нет. Гарри этого хотел, но она отказалась. У них было бурное объяснение. Он сказал, что любит ее и хочет на ней жениться. Разумеется, то же самое он говорил десяткам женщин. Но Эмили подслушала этот разговор и той же ночью покончила с собой.

— Какой ужас. И что случилось с гувернанткой?

— Розмари Нелсон исчезла. Мы знаем, что она родила дочь, которую назвала Джулия, в больнице святого Иосифа в Милуоки. Розмари послала письмо Гарри, но не думаю, что он на него ответил. К тому времени он увлекся кем-то еще и забыл про Розмари.

— Очаровательно...

— Но настоящая трагедия началась позже. Дети совершенно справедливо возложили на отца вину за самоубийство матери. Тогда им было соответственно десять, двенадцать и четырнадцать лет. Достаточно взрослые, чтобы чувствовать боль, но еще слишком юные, чтобы бороться с отцом. Они его возненавидели. А Гарри больше всего боялся, что в один прекрасный день они поступят с ним точно так же, как он в свое время поступил со своим отцом. Поэтому он принял все меры, чтобы этого не случилось. Он посылал их в разные частные школы и летние лагеря, ревностно следил за тем, чтобы его дети как можно реже виделись друг с другом. Денег от него они не получали. Жили на проценты с маленького фонда, оставленного им матерью. В отношениях с детьми Гарри главным образом использовал метод кнута и пряника. Пряником служило его колоссальное состояние, а кнутом — угроза вычеркнуть из завещания, если они прогневают его.

— И кем же стали его дети?

— Тайлер — окружной судья в Чикаго. Вудро ничем особенно не занимается. Плейбой. Живет в Хоуб-Саунде, играет в гольф, поло. Несколько лет тому назад спутался с официанткой из какой-то закусочной. Она забеременела, и он, к всеобщему изумлению, женился на ней. Кендолл — известный модельер, замужем за французом. Они живут в Нью-Йорке. — Фитцджералд встал. — Стив, ты бывал на Корсике?

— Нет.

— Я бы хотел, чтобы ты туда слетал. Тамошняя полиция задерживает тело Гарри Стенфорда, отказывается его выдать. Я хочу, чтобы ты все уладил.

— Хорошо.

— Сможешь вылететь сегодня?

— Конечно. Нет проблем.

— Благодарю. Буду тебе очень признателен.

В самолете компании «Эйр Франс» Стив Слоун читал путеводитель по Корсике. Он узнал, что остров этот преимущественно гористый, главный порт — Аяччо, где, кстати, родился Наполеон Бонапарт. В книге приводились интересные статистические данные, но потрясающая красота острова стала для Стива полной неожиданностью. Когда самолет подлетал к Корсике, далеко внизу показалась белая стена, очень похожая на Белые скалы Дувра. От открывавшегося через иллюминатор вида захватывало дух.

Самолет приземлился в аэропорту Аяччо, и такси доставило Стива на бульвар Наполеона, главную улицу города, протянувшуюся на север от площади Генерала де Голля до железнодорожного вокзала. Слоун договорился, что тело Гарри Стенфорда самолетом доставят в Париж, а оттуда другим самолетом — в Бостон. Не хватало только разрешения на вывоз тела.

Такси остановилось у здания префектуры. Слоун поднялся по ступеням и вошел в приемную. За столом сидел сержант в полицейской форме.

— Bonjour. Puis-je vour aider[*]?

_____

[*] Добрый день. Чем я могу вам помочь? (*фр.*)

— Кто здесь старший?

— Капитан Дюрер.

— Я бы хотел переговорить с ним.

— А по какому поводу, позвольте спросить? — Сержант гордился своими познаниями в английском.

Стив достал визитную карточку.

— Я адвокат Гарри Стенфорда и приехал, чтобы отвезти его тело в Соединенные Штаты.

Сержант нахмурился.

— Пожалуйста, подождите, — и исчез в кабинете капитана Дюрера, плотно прикрыв за собой дверь.

В кабинете толпились репортеры телекомпаний и информационных агентств со всего мира. Все говорили одновременно.

— Капитан, почему в такой шторм он...

— Как он мог упасть с яхты, когда...

— Нет ли признаков убийства?

— Что показало вскрытие?

— Кто еще был на яхте?

— Прошу вас, господа, — поднял руку Дюрер. — Очень прошу. — Он оглядел кабинет. Репортеры жадно ловили каждое его слово. Как он ждал этого мгновения! «Если я не оплошаю, — подумал он, — повышение мне гарантировано. И тогда...»

— Капитан, — прервал его мысли сержант, протягивая Дюреру визитную карточку Стива Слоуна и шепча ему при этом что-то на ухо.

Капитан Дюрер с отвращением посмотрел на визитку.

— Сейчас я его принять не могу, — бросил он. — Скажи, пусть придет завтра в десять утра.

— Да, капитан.

Дюрер проводил сержанта взглядом. Он никому не позволит отнять у себя шанс прославиться.

Повернувшись к репортерам, капитан широко улыбнулся.

— Так вы спрашивали...

— Сожалею, но капитан сейчас очень занят, — сообщил сержант Слоуну, вернувшись в приемную. — Он просит вас прийти сюда завтра к десяти утра.

Стив Слоун недовольно поморщился.

— Завтра в десять? Это же нелепо. Я не хочу так долго ждать.

Сержант пожал плечами.

— Это ваше право, месье.

Слоун вздохнул.

— Ладно. Я не забронировал номера в отеле. Вы сможете порекомендовать мне хороший отель?

— Mais oui*. Я с радостью порекомендую вам отель «Коломба», дом восемь по авеню Де Пари.

Слоун помялся.

— Нет ли возможности...

— Завтра в десять утра.

Слоун повернулся и вышел на улицу. А в своем кабинете капитан Дюрер радостно отвечал на вопросы репортеров.

— Почему вы так уверенно заявляете, что это несчастный случай? — спросил тележурналист.

Дюрер смотрел прямо в телекамеру.

— К счастью, есть свидетель этого ужасного события. К каюте месье Стенфорда примыкает открытая па-

---

* Конечно же (фр.).

лубная веранда. Вероятно, какие-то важные бумаги порывом ветра вынесло на веранду, и месье Стенфорд бросился за ними. Когда он выбежал на веранду, яхту сильно качнуло, он потерял равновесие и свалился за борт. Его телохранитель все это видел и немедленно позвал на помощь. Двигатели застопорили, но команде удалось лишь найти тело.

— Что показало вскрытие?

— Корсика — маленький остров, господа. У нас нет необходимого оборудования для проведения всесторонних исследований. Однако наши медицинские эксперты установили, что месье Стенфорд утонул. Его легкие залиты морской водой. Никаких синяков или иных свидетельств насильственной смерти не обнаружено.

— Где сейчас тело?

— Мы держим его в морге, пока оформляются документы на вывоз.

— Вы не будете возражать, если мы вас сфотографируем? — спросил один из фотографов.

Капитан Дюрер выдержал театральную паузу.

— Нет. Пожалуйста, господа, делайте все, что считаете нужным.

И тут же засверкали фотовспышки.

Отель «Коломба» выделялся не роскошью, а уютом и чистотой. Номер Слоуну понравился. Первым делом он позвонил Саймону Фитцджералду.

— Боюсь, история получается более длинной, чем я предполагал.

— В чем дело?

— Передо мной зажгли красный свет. Начальник

полиции может принять меня только завтра утром, и тогда я все улажу. Полагаю, во второй половине дня мы уже вылетим в Бостон.

— Очень хорошо, Стив. Завтра жду твоего звонка.

На ленч Слоун отправился в ресторан «Ла Фонтана» на улице Нотр-Дам, а остаток дня провел, гуляя по городу.

Аяччо, типичный средиземноморский город, по-прежнему гордился тем, что именно здесь родился Наполеон Бонапарт, и никому не давал об этом забыть. «Скорее всего, Гарри Стенфорд здесь чувствовал себя как дома», — подумал Стив Слоун.

Туристический сезон был в разгаре, и улицы заполняла криклива я толпа, говорящая на французском, итальянском, немецком и японском языках.

Вечером Стив пообедал в «Боккаччо», ресторане с итальянской кухней, и вернулся в отель.

— Мне не звонили? — с надеждой спросил он портье.

— Нет, месье.

Слоун долго лежал в постели, вспоминая свой разговор с Саймоном Фитцджералдом о Гарри Стенфорде.

«— Эта женщина сделала аборт?

— Нет. Гарри этого хотел, но она отказалась. У них было бурное объяснение. Он сказал, что любит ее и хочет на ней жениться. Разумеется, то же самое он говорил десяткам женщин. Но Эмили подслушала этот разговор и той же ночью покончила с собой».

«Почему она так поступила», — задумался Стив и незаметно для себя заснул.

На следующее утро ровно в десять Стив Слоун вошел в здание префектуры. За столом сидел тот же сержант.

— Доброе утро, — поздоровался Стив.

— Bonjour, monsieur. Чем я могу вам помочь?

Стив протянул сержанту другую визитную карточку.

— Мне нужно повидаться с капитаном Дюрером.

— Один момент. — Сержант поднялся, вошел в кабинет капитана и закрыл за собой дверь.

Капитан Дюрер в новенькой парадной форме давал интервью съемочной группе итальянской телекомпании. Он отвечал на очередной вопрос, глядя прямо в объектив.

— Когда я взялся за расследование этого происшествия, прежде всего я постарался убедиться в том, что смерть месье Стенфорда не носит насильственного характера.

— И вы в этом убедились, капитан? — спросил репортер.

— Абсолютно. Нет ни малейшего сомнения в том, что мы имеем дело с несчастным случаем.

— Bene, — махнул рукой режиссер. — Теперь снимаем под другим углом и даем крупный план.

Сержант воспользовался паузой, чтобы передать капитану визитную карточку Слоуна.

— Он ждет.

— В чем дело? — рыкнул капитан. — Разве ты не видишь, что я занят? Пусть придет завтра. — Дюреру недавно сообщили, что на Корсику едет с десяток иностранных корреспондентов, в том числе из таких дальних стран, как Россия и Южная Африка. — Demain*.

— Oui**.

— Вы готовы, капитан? — спросил режиссер.

Капитан Дюрер улыбнулся.

— Готов.

Сержант вернулся в приемную.

— К сожалению, месье, сегодня капитан очень занят.

— Я тоже, — отрезал Стив. — Скажите ему, что от него требуется лишь подпись на сертификате, разрешающем вывоз тела. Получив этот документ, я немедленно уеду. Неужели это такой великий труд?

— Ничем не могу вам помочь, месье. У капитана очень много работы, и...

— Может кто-нибудь еще подписать сертификат?

— О нет, месье. Право на это имеет только капитан.

Стив Слоун кипел от гнева.

— И когда я смогу его увидеть?

— Я предлагаю попытаться завтра утром.

От слова «попытаться» Слоуна едва не взорвало. Но он взял себя в руки.

— Хорошо, попытаюсь. Кстати, как я понял, есть свидетель случившегося — телохранитель мистера Стенфорда, некий Дмитрий Камински.

— Да.

— Я бы хотел с ним переговорить. Не подскажете мне, где его найти.

— В Австралии.

---

* Завтра (*фр.*).
** Хорошо (*фр.*).

— Это отель?

— Нет, месье. — В голосе сержанта слышалась жалость. — Это страна.

Стив не мог поверить своим ушам.

— Вы хотите сказать, что полиция разрешила единственному свидетелю уехать до того, как его допросили?

— Его допросил капитан Дюрер.

Стив шумно выдохнул.

— Благодарю вас.

— Всегда рад помочь, месье.

Вернувшись в отель, Слоун позвонил Саймону Фитцджералду.

— Похоже, мне придется провести здесь еще одну ночь.

— В чем дело, Стив?

— Начальник полиции очень занят. Тут очень много туристов. Наверное, он ищет украденные кошельки и потерянные сумочки. Я постараюсь улететь завтра.

— Держи меня в курсе.

Несмотря на скопившееся раздражение, Стив не мог остаться равнодушным к красотам Корсики. Тысячемильное побережье, гранитные горы со снежными шапками, не тающими даже в июле. Сначала островом правили итальянцы, потом он перешел к французам, и сочетание двух культур дало потрясающие результаты.

За обедом в ресторане «Сан-Карлю» Слоуну вспомнилась характеристика, которую дал Гарри Стенфорду

Саймон Фитцджералд: «Из моих знакомых, а круг их, как ты знаешь, очень широк, он единственный понятия не имел, что такое сострадание. Инстинктами мог потягаться со стервятником, таким он был злобным и мстительным».

Что ж, Гарри Стенфорд доставлял немало хлопот и после смерти.

Шагая к отелю, Стив остановился у газетного киоска, чтобы купить последний номер «Интернэшнл геральд трибюн». На первой полосе аршинный заголовок вопрошал: «КАКОЕ БУДУЩЕЕ ЖДЕТ ИМПЕРИЮ СТЕНФОРДА?» Он заплатил за газету и уже собирался уходить, когда уголком глаза поймал заголовки других иностранных газет. Взял несколько, развернул и обомлел. Каждая давала на первой полосе статью о смерти Гарри Стенфорда, и со всех первых полос Слоуну улыбалась физиономия капитана Дюрера, главного источника информации. «Так вот, значит, чем он так занят. — Слоун побагровел. — Что ж, придется поставить его на место».

На следующее утро, без пятнадцати девять, Стив опять появился в приемной капитана Дюрера. Сержант отсутствовал, дверь в кабинет была приоткрыта. Стив распахнул ее и вошел. Капитан переодевался в парадную форму, готовясь к утренним интервью. Услышав шаги Стива, он повернулся к двери.

— Qu'est-ce que vous faites ici? C'est un bureau prive! Allez vous-en[*]!

---

[*] Что вы здесь делаете? Вход сюда воспрещен! Выйдите! (*фр.*).

— Я корреспондент «Нью-Йорк таймс», — представился Стив Слоун.

Дюрер тут же сменил гнев на милость.

— Проходите, проходите. Вы сказали, вас зовут...

— Джонс. Джон Джонс.

— Могу я вам что-нибудь предложить? Кофе? Коньяк?

— Благодарю, ничего не надо.

— Прошу вас, присаживайтесь. — В голосе Дюрера появились нотки скорби. — Вы здесь, разумеется, в связи с ужасной трагедией, случившейся на нашем маленьком острове. Бедный месье Стенфорд.

— Когда вы планируете отправить тело в Соединенные Штаты? — поинтересовался Стив.

Капитан Дюрер вздохнул.

— Боюсь, через много-много дней. Когда смерть настигает такого известного человека, как месье Стенфорд, приходится заполнять массу документов. Вы понимаете, я должен следовать инструкции.

— Думаю, что понимаю, — кивнул Стив.

— Может, через десять дней. Возможно, через две недели. — «К тому времени, — подумал Дюрер, — пресса найдет себе другую игрушку».

— Вот моя визитная карточка. — Стив протянул капитану визитку.

Дюрер бросил на нее короткий взгляд, потом пригляделся.

— Так вы адвокат? Не журналист?

— Нет. Я адвокат Гарри Стенфорда. — Стив Слоун поднялся. — Мне нужно ваше разрешение на вывоз тела.

— Если бы я мог его дать. — Дюрер печально вздохнул. — К сожалению, у меня связаны руки. Я не представляю себе...

— Завтра.

— Это невозможно. Не в моей власти...

— Я предлагаю вам связаться с вашим начальством в Париже. У «Стенфорд энтерпрайзез» во Франции несколько больших заводов. Кому-то может и не понравиться решение нашего совета директоров закрыть эти заводы и перевести производство в другие страны.

Капитан Дюрер таращился на него.

— Я... же об этом ничего не знаю, месье.

— Зато знаю я, — заверил его Стив. — Позаботьтесь о том, чтобы к завтрашнему дню у меня были все необходимые документы. Иначе вас ждут очень серьезные неприятности.

Стив направился к двери.

— Подождите! Месье! Может быть, через несколько дней я...

— Завтра, — отрезал Стив Слоун и вышел из кабинета.

Три часа спустя Стиву позвонили в отель.

— Месье Слоун? У меня для вас прекрасные новости! Вы можете тотчас же получить тело мистера Стенфорда. Надеюсь, вы оцените мое содействие в...

— Благодарю вас, — прервал капитана Стив. — Частный самолет вылетит завтра, в восемь утра. Я уверен, что к тому времени все необходимые бумаги будут подписаны.

— Да, разумеется. Не волнуйтесь. Я лично прослежу...

— Хорошо. — Стив положил трубку.

Капитан Дюрер долго сидел, не шевелясь. Merde[*]! Как же ему не повезло! Он мог бы еще целую неделю красоваться в газетах и на экранах телевизоров!

Когда самолет с телом Гарри Стенфорда приземлился в международном аэропорту Бостона, их уже поджидал катафалк. Похороны назначили на третий день.

Стив Слоун сразу же доложил о прибытии Саймону Фитцджералду.

— Значит, он наконец-то дома, — кивнул Фитцджералд. — Мы станем свидетелями великого воссоединения.

— Воссоединения?

— Да. Нас ждет много интересного. В Бостон съедутся дети Гарри Стенфорда, чтобы отпраздновать смерть своего отца. Тайлер, Вуди и Кендолл.

---

* Дерьмо (фр.)

Глава 8

Судья Тайлер Стенфорд узнал о случившемся из программы чикагской телестанции WBBM. Он застыл перед телевизором, сердце его стучало, как паровой молот. На экране возникла фотография яхты «Голубые небеса». Комментатор, остающийся за кадром, говорил: «...в шторм неподалеку от Корсики. Там и произошла эта трагедия. Свидетелем несчастного случая стал Дмитрий Камински, телохранитель Гарри Стенфорда, но спасти своего работодателя ему не удалось. В финансовых кругах Гарри Стенфорд известен как один из наиболее...»

Тайлер смотрел на экран невидящими глазами, вспоминая, вспоминая...

Глубокой ночью его разбудили громкие голоса. Ему четырнадцать лет. Несколько минут он вслушивается в голоса, затем крадется к лестнице, которая ведет вниз. В холле ссорятся мать и отец. Мать что-то сердито выкрикивает, отец с размаху бьет ее по лицу.

На экране — новая фотография. Гарри Стенфорд пожимает руку Рональду Рейгану в Овальном кабинете

Белого дома. «... Один из столпов экспертной группы президента по финансовой политике, Гарри Стенфорд во многом определял решения, принимаемые...»

Они играли в футбол на лужайке за домом, и его брат Вуди отбросил мяч ближе к дому. Тайлер побежал за ним и услышал голос отца по другую сторону зеленой изгороди: «Я тебя люблю. И ты это знаешь!»

Он замер в изумлении. Наконец-то его родители не ссорятся. А потом услышал ответ гувернантки Розмари: «Вы женаты. Я хочу, чтобы вы оставили меня в покое».

Внезапно ему судорогой свело желудок. Он любил мать и любил Розмари. А в отце видел наводящего страх незнакомца.

Новые фотографии на экране. Гарри Стенфорд с Маргарет Тэтчер... С президентом Миттераном... С Михаилом Горбачевым... Слова комментатора за кадром: «Знаменитый финансист чувствовал себя как рыба в воде и с простыми рабочими, и с мировыми лидерами».

Он проходил мимо двери кабинета отца, когда до него донесся голос Розмари: «Я ухожу». Затем заговорил отец: «Я не позволю тебе уйти. Будь благоразумна, Розмари. Для нас есть только одна возможность...»

«Не хочу тебя слушать. А ребенка я сохраню!» После чего Розмари исчезла.

На экране все новые образы. Гарри Стенфорд и дети перед церковью наблюдают, как гроб ставят на катафалк. Комментатор объясняет: «Гарри Стенфорд и дети у гроба... Причиной самоубийства миссис Стенфорд стало резко ухудшающееся здоровье. Согласно донесению инспектора полиции, Гарри Стенфорд...»

Глубокой ночью отец разбудил его, тряхнув за плечо.

— Вставай, сынок, у меня плохие новости.

Четырнадцатилетний мальчик начал дрожать.

— С твоей матерью произошел несчастный случай, Тайлер.

Ложь. Он ее убил. Она покончила с собой из-за его романа с Розмари.

Об этом писали все газеты. Скандал сотрясал Бостон, и уж бульварные газетенки оттянулись вволю. Скрыть новости от детей Стенфордов не представлялось возможным. Их одноклассники изрядно попортили им кровь. В двадцать четыре часа трое детей потеряли двух самых дорогих людей. И вина за это лежала на их отце.

— Плевать я хотела, что он мой отец, — всхлипывала Кендолл. — Я его ненавижу.

— И я!

— И я!

Они хотели убежать из дому, но куда они могли бежать. И решили поднять мятеж. На переговоры отправили Тайлера.

— Мы хотим другого отца. Ты нам не нужен.

Гарри Стенфорд холодно оглядел его.

— Я думаю, это можно устроить.

Три недели спустя их отправили в три разные частные школы.

С тех пор дети редко видели отца. Они читали о нем в газетах, лицезрели его на экране телевизора сопровождающим красавиц или беседующим со знаменитостями, но встречались с ним только по особым случаям: на Рождество или по другим праздникам, когда их фотографировали вместе, чтобы показать всему миру, какой он любящий отец. После съемки дети отправлялись в школы или летние лагеря до следующего «особого случая».

Тайлер как зачарованный смотрел на экран. Заводы в разных частях света сменяли друг друга, перемежаясь с фотографиями отца. «...Одна из самых крупных корпораций, принадлежащих одному человеку. Гарри Стенфорд, создавший ее, был легендой, свидетельством... Теперь эксперты Уолл-стрит пытаются найти ответ на вопрос: что произойдет с корпорацией после смерти отца-основателя? У Гарри Стенфорда трое детей, но до сих пор неизвестно, кто станет наследником баснословного состояния и кто получит контроль над корпорацией...»

Ему шесть лет. Он обожает носиться по большому дому, заглядывая во все комнаты. Он знает, что в одну ему заходить запрещено. В кабинет отца. Тайлеру известно, что там проводятся ответственные совещания. Туда заходят, оттуда выходят разные люди, которым есть что сказать его отцу. Заходить в кабинет мальчику запрещено, но его неудержимо тянет туда.

Однажды, когда отец куда-то уехал, Тайлер решил проникнуть в кабинет. От его размеров у мальчика захватило дух. Тайлер стоял, глядя на огромный стол, громадное кожаное кресло, в котором сидел отец. Придет день, когда я сяду в это кресло, Тайлер. Я стану таким же важным, как отец. Он приблизился к столу, оглядел его. Десятки каких-то бумаг, многие с гербом. Тайлер обошел стол, сел в кресло отца. «Какое счастье. Я уже важная шишка», — подумал он.

— Что ты тут делаешь, черт побери?

Тайлер вздрогнул, поднял голову. В дверях, багровый от ярости, стоял отец.

— Кто разрешил тебе садиться за этот стол?

Мальчик задрожал от страха.

— Я... я хотел посмотреть, как...

Отец двинулся к столу.

— Ты никогда не узнаешь, что значит сидеть за этим столом! А теперь выметайся отсюда, и чтобы я тебя больше здесь не видел!

Тайлер, рыдая, убежал наверх. Потом в его комнату зашла мать, обняла мальчика.

— Не плачь, дорогой. Все будет хорошо.

— Нет... не будет. — Его тело сотрясалось от рыданий. — Он ненавидит меня.

— Ну что ты. Ненависти к тебе у него нет.

— Я же ничего не сделал. Только сел в его кресло.

— Это его кресло, дорогой. Он не хочет, чтобы в нем еще кто-нибудь сидел.

Он плакал и плакал. Мать крепче прижала его к себе.

— Тайлер, когда мы с твоим отцом поженились, он сказал, что хочет, чтобы я стала совладелицей его компании. Он дал мне одну акцию. Тогда я восприняла его подарок как шутку. Я отдам тебе эту акцию. Став совершеннолетним, ты получишь по ней право голоса и станешь совладельцем компании.

Общее число акций «Стенфорд энтерпрайзез» равнялось ста, и одна из них принадлежала Тайлеру.

Когда Гарри Стенфорд узнал о поступке жены, он вскипел.

— И что, по-твоему, он сделает с этой акцией? Попытается установить контроль над компанией?

Тайлер выключил телевизор и долго сидел, переваривая свалившуюся на него новость. Он испытывал чувство глубокой удовлетворенности. Традиционно сыновья хотели добиться успеха, чтобы согреть душу отцам. Тайлер Стенфорд стремился подняться наверх с одной целью — получить возможность уничтожить отца.

Ребенком ему снилось, что отца обвинили в убийстве матери, а выносить приговор должен он, Тайлер. «Я приговариваю тебя к смерти на электрическом стуле!» — торжественно произносил он. Иногда он приговаривал отца к повешению или расстрелу. Иной раз сны казались чуть ли не явью.

Военное училище, в которое его отослали, находилось в штате Миссисипи, и четыре года там он прожил как в аду. Тайлер ненавидел дисциплину и жесткий распорядок. В первый год обучения он серьезно подумывал о самоубийстве. Удержало его только одно — решимость не доставить отцу такого удовольствия. «Он убил мою мать, — думал Тайлер. — Я не позволю ему убить меня».

Тайлеру казалось, что инструкторы особенно строги к нему, и он не сомневался, что здесь не обошлось без влияния отца. Тайлер не позволил училищу раздавить его. И хотя ему приходилось ездить на каникулы домой, отношения с отцом становились все более натянутыми.

На каникулы приезжали его брат и сестра, но особой теплоты между ними не было. Их отец позаботился о том, чтобы они не испытывали друг к другу родственных чувств. Братья и сестра превратились в незнакомцев, с нетерпением ожидающих окончания каникул.

Тайлер знал, что их отец — мультимиллионер, но содержание он, Кендолл и Вуди получали из наследства матери. Становясь старше, Тайлер не раз задумывался над тем, а станет ли он наследником семейных богатств. Тайлер не сомневался, что его, брата и сестру лишали того, что принадлежало им по праву. «Мне нужен адвокат, — решил он. В этом сомнений не было, но из этой мысли Тайлер сделал неординарный вывод: — Я должен стать адвокатом».

Отец, услышав о его планах, отреагировал мгновенно:

— Значит, ты намереваешься стать адвокатом? Полагаю, ты думаешь, что я устрою тебя в «Стенфорд энтерпрайзез»? Так вот, забудь об этом. Я не подпущу тебя к своей компании на пушечный выстрел.

Когда Тайлер окончил юридическую школу, он мог бы найти работу в Бостоне. Благодаря своей фамилии он без труда получил бы место в одной из известных компаний, но Тайлер предпочел уехать подальше от отца.

Он начал практиковать в Чикаго. Поначалу ему пришлось нелегко. Он не делал упора на родство с Гарри Стенфордом, поэтому клиентов у него было немного. Однако Тайлер быстро выяснил, каким влиянием на бизнес обладают политики и сколь важны хорошие отношения с Ассоциацией адвокатов центрального округа Кука. Ему предложили работу в окружной прокуратуре. Тайлера отличали острый ум и трудолюбие, так что вскоре на него уже не могли нахвалиться. Он неоднократно представлял в суде обвинение и практически всегда подсудимый попадал за решетку.

Тайлер быстро поднимался по ступенькам служебной лестницы, и пришел день, когда труды его были вознаграждены: Тайлера избрали судьей округа Кука. Он надеялся, что отец наконец-то похвалит его. И жестоко ошибся.

— Ты? Окружной судья? Господи, да я не доверил бы тебе судить и конкурс пекарей!

Судья Тайлер Стенфорд, невысокий, чуть полноватый, с глазами-буравчиками и жестким ртом, не обладал харизмой и обаянием отца. К его достоинствам относился разве что зычный голос, идеальный для зачтения обвинительного приговора.

Тайлер Стенфорд был скрытным человеком. Свои мысли он предпочитал держать при себе. В свои сорок лет он выглядел гораздо старше. Тайлер гордился тем, что у него отсутствовало чувство юмора. Жизнь, полагал он, слишком сурова, и веселью места в ней нет. Из развлечений он признавал только шахматы. Раз в неделю приходил в местный клуб и неизменно выигрывал.

А вот юристом Тайлер Стенфорд был блестящим, коллеги очень уважали его, часто обращались за советом. Мало кто знал, что он из тех самых Стенфордов. Тайлер никогда не упоминал имени отца.

Комнаты судей находились в четырнадцатиэтажном здании криминального суда округа Кука, на углу Двадцать шестой улицы и Калифорния-стрит. К парадному входу вели широкие каменные ступени. Район этот славился высоким уровнем преступности, поэтому у двери висела табличка:

«СОГЛАСНО РАСПОРЯЖЕНИЮ СУДА,
ОБЫСКУ ПОДЛЕЖАТ ВСЕ ВХОДЯЩИЕ
В ЗДАНИЕ»

Здесь Тайлер проводил дни напролет, ведя судебные процессы, связанные с ограблениями, разбоями, изнасилованиями, перестрелками, поножовщиной, убийствами. Безжалостный в приговорах, он получил прозвище Вешатель. Весь день он выслушивал обвиняемых, ссылавшихся на бедность, тяжелое детство, разрушенные семьи и сотню других причин, вроде бы побудивших их к совершению преступления. Тайлер не принимал ни одну. Преступление есть преступление, и оно требует наказания. Вынося приговор, он всякий раз вспоминал отца.

Коллеги Тайлера Стенфорда практически ничего не знали о его личной жизни. Женился он неудачно, развелся, теперь жил один в маленьком домике с тремя спальнями на Кимбарк-авеню в Гайд-парке. Район Гайд-парка каким-то чудом пощадил великий пожар 1871 года, так что дома там сохранились с прошлого века. С соседями Тайлер не поддерживал никаких отношений, и они понятия не имели, где и кем он работает. Трижды в неделю к нему приходила домработница, но все покупки Тайлер делал сам. Раз в неделю, по пятницам, он ездил в «Харпер-Холл», маленький торговый центр неподалеку от его дома, или в «Продовольственные товары мистера Джи», или в «Медичи» на Сорок седьмой улице.

Изредка на официальных мероприятиях Тайлер встречался с женами коллег-юристов. Они чувствовали, что ему одиноко, предлагали познакомить со своими подругами, приглашали на обед. Он всегда отказывался.

— В этот вечер я занят, — звучала его стандартная отговорка.

Он не мог выкроить ни одного свободного вечера, но никто не знал, чем же он их занимает.

— Кроме закона, Тайлера ничто не интересует, — объяснял один из судей своей жене. — А от женщин он просто шарахается. Я слышал, он крайне неудачно женился.

В этом судья не ошибался. После развода Тайлер дал себе клятву ни к кому не питать нежных чувств. Но потом встретил Ли, и все изменилось. Ли, очаровательный, чувственный, все понимающий... С таким человеком Тайлер мог бы прожить остаток своих дней. Тайлер любил Ли, но с чего Ли было любить Тайлера? Ли не испытывал недостатка в поклонниках, в большинстве своем очень богатых. И Ли нравились дорогие вещички.

Тайлер чувствовал, что дело его безнадежное. Он не мог конкурировать с другими. Но смерть его отца кардинально меняла ситуацию. Тайлер мог стать невероятно богатым.

И тогда он положил бы к ногам Ли весь мир.

Тайлер вошел в кабинет главного судьи.

— Кейт, мне нужно на несколько дней улететь в Бостон. Семейные дела. Не мог бы ты попросить кого-нибудь подменить меня?

— Разумеется. Я все улажу.

— Спасибо тебе.

В тот же день Тайлер Стенфорд вылетел в Бостон. В самолете он вспомнил слова отца, произнесенные в тот ужасный день: «Мне известен твой грязный секрет».

Глава 9

В Париже шел дождь, теплый июльский дождь, заставляющий пешеходов искать укрытие или оглядывать улицу в поисках несуществующего такси. В демонстрационном зале в большом сером здании на улице Фобур д'Оноре царила паника. Полуголые модели метались по залу в состоянии, близком к истерике, капельдинеры расставляли стулья, плотники устраняли последние недоделки. Все лихорадочно жестикулировали и кричали так, что от шума лопались барабанные перепонки.

В эпицентре урагана, пытаясь привнести порядок в этот мир хаоса, стояла maitresse*, Кендолл Стенфорд Рено. До начала показа коллекции оставалось четыре часа, и все шло наперекосяк.

Катастрофа: Джон Фэрчайлд из «Вог» неожиданно объявился в Париже, а места для него не предусмотрели. Трагедия: система громкой связи не работала. Беда: Лили, одна из топ-моделей, приболела. Чрезвычайное происшествие: два визажиста ругались друг с другом за сценой вместо того, чтобы заниматься девушками. Сти-

_____
* Госпожа, повелительница, мэтресса (*фр.*).

хийное бедствие: на юбочках расползались швы. «Ну что ж, — думала Кендолл, — все как обычно».

Кендолл Стенфорд Рено сама выглядела, как модель, собственно, с этого она и начинала. Во всем, будь то одежда, цвет волос, стиль прически, оттенок лака для ногтей, чувствовались особый шик и утонченность. Ее лицо без макияжа выглядело простенько, но Кендолл положила немало времени и сил на то, чтобы такая мысль никому не пришла в голову, и ее усилия не пропали даром.

Она держала в руках все нити.

— Кто осветил подиум, Рэй Чарлз[*]?

— Добавьте капельку синего...

— Видна подкладка. Закрепите ее!

— Я не хочу, чтобы модели поправляли волосы и красились за кулисами. Пусть Лулу найдет им гримерную!

К ней подбежал режиссер показа.

— Кендолл, тридцать минут — слишком долго! Слишком! Надо уложиться в двадцать пять...

Кендолл повернулась к нему.

— И что ты предлагаешь, Скотт?

— Мы можем снять несколько моделей одежды и...

— Нет. Просто девушкам придется шевелиться быстрее.

Она услышала свое имя, обернулась.

— Кендолл, мы не можем найти Пиа. Перекинуть темно-серый жакет с брюками Тами?

---

[*] Слепой американский певец и музыкант.

81

— Нет. Отдайте их Дане. Тами пусть возьмет коша-чий костюм и тунику.

— А как насчет серого джерси?

— Моник. И позаботьтесь, чтобы под него она наде-ла серые колготки.

Кендолл посмотрела на доску с фотографиями мо-делей в различных нарядах. Порядок фотографий оп-ределял очередность выхода моделей на подиум. Она еще раз прошлась взглядом по фотографиям.

— Давайте кое-что поменяем. Бежевый кардиган пойдет первым, потом блузки с юбками, джерси, вечер-нее платье из тафты, платья для коктейлей с жакетами...

Две помощницы уже спешили к ней.

— Кендолл, мы не можем решить, как рассадить гос-тей. Ты хочешь, чтобы покупатели сидели отдельно или перемешать их со знаменитостями?

— Или мы можем перемешать знаменитостей с ре-портерами, — подала голос вторая помощница.

Кендолл слушала вполуха. Она не спала уже двое суток, снимая то и дело возникающие накладки.

— Разберитесь с этим сами, — бросила она.

Кендолл оглядывала этот взворошенный улей и думала о предстоящем шоу, о людях, чьи имена извест-ны всему миру и которые съедутся сюда, чтобы апло-дировать ее творениям. «Я должна благодарить за это отца, — подумала она. — Если б он не сказал, что успеха мне не добиться...»

Она всегда знала, что хочет стать модельером. Со-всем маленькой девочкой Кендолл обладала врожден-ным чувством стиля. У ее кукол были самые лучшие наряды во всем городе. Свои творения она всегда показывала матери. Та обнимала ее, говоря: «Ты очень талантлива, дорогая. Придет день, когда ты станешь знаменитым модельером».

И Кендолл в этом не сомневалась. В школе она изучала технику рисунка, законы сочетания цветов, пространственную композицию.

— Начать надо с того, чтобы самой поработать моделью, — посоветовал ей один из преподавателей. — Тебе удастся познакомиться со знаменитыми модельерами и, если ты будешь держать глаза открытыми, многое почерпнуть у них.

Когда Кендолл поделилась своими планами с отцом, тот пренебрежительно хмыкнул.

— Ты? Модель? Брось эти шутки!

По окончании школы Кендолл вернулась в Роуз-Хилл. «Я нужна отцу, чтобы поддерживать порядок в доме», — думала она. Дюжиной слуг никто не командовал. Поскольку Гарри Стенфорд частенько отсутствовал, слуги были предоставлены самим себе. Кендолл попыталась навести порядок. Определила каждому круг обязанностей, выполняла роль хозяйки на приемах, которые устраивал отец, делала все, чтобы создать для него наилучшие условия. Она ждала похвалы, но слышала лишь упреки.

— Кто нанял этого чертова шеф-повара? Дай ему расчет...

— Мне не нравится новый сервиз, который ты купила. Что у тебя со вкусом?

— Кто просил тебя переделывать мою спальню? Держись от нее подальше.

Что бы ни сделала Кендолл, он был недоволен. Именно жестокость и нетерпимость отца в конце концов выгнали ее из дома. В их доме любовь так и не прижилась, у отца не находилось времени на детей. Он лишь пытался контролировать и поучать их. Как-то вечером Кендолл подслушала разговор отца с одним из гостей. «У моей дочери лошадиное лицо. Ей потребуются немалые деньги, чтобы подцепить какого-нибудь бедолагу».

Эти слова стали последней каплей. На следующий день она покинула Бостон и улетела в Нью-Йорк.

Оставшись одна в номере отеля, Кендолл задумалась о будущем.

«Итак, я в Нью-Йорке. Как мне стать модельером? Как ворваться в индустрию моды? Как добиться, чтобы меня кто-то заметил? — Ей вспомнился совет учителя. — Я начну как модель. Другого, похоже, не дано».

На следующее утро Кендолл пролистала справочник, выписала адреса агентств, предлагающих услуги моделей, и начала обходить их одно за другим. «Я должна говорить правду, — думала Кендолл. — И сразу объяснить, что поработаю у них недолго, пока не начну создавать свои модели одежды».

С этими мыслями она вошла в первое по списку агентство. Женщина средних лет, сидевшая за столом, вопросительно посмотрела на нее.

— Могу я вам чем-нибудь помочь?

— Да. Я хочу стать моделью.

— Я тоже, милочка. Забудьте об этом.

— Что?

— Вы слишком высокая.

Кендолл вскинула голову.

— Я бы хотела поговорить с руководством.

— Вы с ним говорите. Агентство принадлежит мне.

Следующие пять или шесть попыток оказались столь же неудачными.

— У вас слишком маленький рост.

— Вы слишком худы.

— Слишком полны.

— Слишком молоды.

— Слишком стары.

— Нас интересует другой тип лица.

К концу недели Кендолл впала в отчаяние. В ее списке осталось только одно агентство.

«Парамаунт моделз» считалось одним из лучших на Манхэттене. Стол в приемной пустовал. Из одного из кабинетов доносился женский голос:

— Вы можете получить ее в следующий понедельник. Только на один день. Потом она занята на три недели.

Кендолл подошла к двери и заглянула в кабинет. Женщина в облегающем платье говорила по телефону.

— Хорошо. Посмотрим, что можно сделать, — Роксана Маринак положила трубку и подняла голову. — Извините, но ваш тип нас не интересует.

— Я могу быть любым типом, — вырвалось у Кендолл. — Я могу быть выше и ниже, толще и тоньше, моложе...

Роксана подняла руку.

— Постойте.

— Мне нужен лишь шанс. Действительно нужен...

Роксана задумалась. Девушке очень уж хотелось стать моделью, фигура у нее фантастическая. Конечно, не красавица, но при должном макияже...

— Опыт у вас есть?

— Конечно. Я ношу одежду всю жизнь.

Роксана рассмеялась.

— Ладно. Давайте посмотрим вашу папку.

На лице Кендолл отразилось недоумение.

— Папку?

Роксана вздохнула.

— Моя дорогая девочка, каждая уважающая себя модель ходит с папкой, в которой лежат ее фотографии. Это ваша библия, куда заглядывают ваши перспективные клиенты. — Роксана вновь вздохнула. — Я хочу, чтобы вы сделали две фотографии крупным планом. С улыбкой и серьезную. Повернитесь.

— Хорошо, — Кендолл начала поворачиваться.

— Медленнее, — Роксана изучающе смотрела на нее. — Еще нужна фотография в купальнике или нижнем белье, наиболее выигрышная для вашей фигуры.

— Я сфотографируюсь и так, и так, — с жаром воскликнула Кендолл.

Роксана улыбнулась.

— Отлично. Вы... э... другая, но, возможно, у вас получится.

— Благодарю вас.

— Пока не за что. Позирование для журналов мод не такое уж простое дело. Это жестокий бизнес.

— Я не боюсь трудностей.

— Посмотрим. Я попробую взять вас. И пошлю на несколько просмотров.

— Простите?

— На просмотрах клиенты знакомятся с новыми моделями. Естественно, там будут модели из других агентств. По сути, это ярмарка племенного скота.

— Я там не затеряюсь.

Так она вошла в мир моды. Кендолл побывала на дюжине просмотров, прежде чем какой-то модельер предложил ей сфотографироваться в разработанных им нарядах. Она так нервничала, что едва не потеряла предоставившийся ей шанс: очень уж много говорила.

— Мне нравятся модели, которые вы разрабатываете. Я думаю, на мне они будут смотреться отлично. Я хочу сказать, они будут смотреться на любой женщине. Они прекрасны! Но я думаю, что особенно хороши они будут на мне. — От волнения она даже начала заикаться.

Модельер понимающе кивнул.

— Это ваша первая работа, не так ли?

— Да, сэр.

Он улыбнулся.

— Хорошо. Я вас беру. Как, вы сказали, вас зовут?

— Кендолл Стенфорд.

Она уж подумала, не свяжет ли он ее с теми самыми Стенфордами, но у него не возникло такой мысли.

Роксана сказала правду. Кендолл вошла в жестокий мир, не знающий пощады. Ей пришлось привыкать к постоянным отказам, к бесконечным просмотрам, не приносящим никакого результата, к неделям без всякой работы. Когда же она работала, в шесть утра ей делали макияж, после чего начинали фотографировать. В одном наряде, в другом, в третьем и так, случалось, до полуночи.

Однажды вечером, после долгого съемочного дня, когда ее фотографировали с пятью другими моделями, Кендолл глянула на себя в зеркало и простонала:

— Я не смогу завтра работать. Посмотрите, как опухли у меня глаза!

— Положи на глаза ломтики огурца, — посоветовала ей одна из моделей. — Или опусти в горячую воду мешочки с цветами ромашки, остуди их, положи на глаза и подержи пятнадцать минут.

Утром от припухлости не осталось и следа.

Кендолл завидовала моделям, на которых постоянно был спрос. Она слышала, как Роксана организовывала их работу.

— «Саачи»* я обычно предоставляю Мишель по первому требованию. Позвони и скажи им, что она поступит в их распоряжение, если...

Кендолл быстро научилась не критиковать одежду, которую ей приходилось надевать. Она познакомилась с лучшими фотографами, ее папка пополнялась все новыми фотографиями. Теперь она носила с собой сумочку с самым необходимым: одежда, косметика, маникюрный набор, бижутерия. Она научилась начесывать волосы и завивать их на горячие бигуди.

Впрочем, учеба на этом не закончилась. Фотографы ее любили, и один из них как-то дал ей очень ценный совет.

---

* Известное рекламное агентство.

— Кендолл, фотографии с улыбкой оставляй на конец съемки. Так у рта дольше не будет морщин.

Популярность Кендолл росла. Неординарным лицом она выгодно отличалась от многих других моделей, похожих как сестры. Не последнюю роль играла и врожденная элегантность.

— В ней чувствуется класс, — заметил как-то один из рекламных агентов. И попал в десятку.

Кендолл страдала от одиночества. Время от времени соглашалась на встречи с мужчинами, но они не приносили радости. Работала она уже постоянно, но у нее складывалось впечатление, что ей ни на йоту не удалось приблизиться к поставленной цели. «Я должна чаще общаться с ведущими модельерами», — решила Кендолл.

— Следующие четыре недели у тебя забиты полностью, — обрадовала ее Роксана. — Клиенты в тебе души не чают.

— Роксана...

— Да, Кендолл?

— Я не хочу больше этим заниматься.

Роксана изумленно вытаращилась на нее.

— Что?

— Я хочу выйти на подиум.

Показывать наряды на подиуме стремились все модели. Эта работа не только приносила самые высокие заработки, но и превращала модель в актрису.

На лице Роксаны отразилось сомнение.

— Прорваться на подиум практически невозможно...

— Я попробую.

Роксана пристально всмотрелась в нее.

— Тебе действительно этого хочется?

— Да.

— Хорошо, — кивнула Роксана. — Если ты настроена серьезно, первым делом тебе надо научиться ходить по бревну.

— Что?

Роксана все ей объяснила.

В тот же день Кендолл купила узкий деревянный брус длиной в шесть футов, ошкурила его, чтобы не занозить ноги, и положила на пол. Поначалу она падала с него после первого же шага. «Это нелегко, — сказала она себе, — но я справлюсь».

Каждое утро Кендолл поднималась пораньше и ходила по брусу. Вскоре появились первые успехи. Координация заметно улучшилась.

Практиковалась она перед большим, в рост человека, зеркалом. Под музыку. Кендолл училась шагать с книгой на голове. Меняла кроссовки и шорты на вечернее платье и туфли на шпильках.

Когда Кендолл почувствовала в себе уверенность, она пошла к Роксане.

— Я навела для тебя справки, — сообщила ей Роксана. — Унгаро ищет модель для демонстрации своей коллекции. Я порекомендовала тебя. Он готов посмотреть, чего ты стоишь.

У Кендолл учащенно забилось сердце. Унгаро — один из лучших модельеров.

На следующей неделе Кендолл прибыла на показ коллекции. Она всеми силами старалась показать, что не видит в своем выходе на подиум ничего особенного.

Унгаро протянул Кендолл первый наряд и улыбнулся.

— Удачи вам.

— Благодарю.

Когда Кендолл вышла на подиум, со стороны могло показаться, что она провела на нем всю жизнь. Даже другие модели отдали ей должное. Показ коллекции прошел с большим успехом, и с того дня Кендолл вошла в элиту. Она начала работать с гигантами мира моды: Ивом Сен-Лораном, Холстоном, Кристианом Диором, Донной Каран, Кальвином Клайном, Ральфом Лореном, Сент-Джоном. Кендолл была нарасхват, путешествовала по всему миру. В Париже коллекции высокой моды показывали в январе и июле. В Милане пик приходился на март, апрель, май и июнь. В Токио — на апрель и октябрь. Работа не оставляла Кендолл ни минуты свободного времени. Ей это даже нравилось.

Кендолл работала и училась. Она показывала модели знаменитых кутюрье и думала о том, какие бы внесла в них изменения, окажись на их месте. Учиться приходилось многому: как должна сидеть одежда, как двигается и облегает тело ткань, как ее кроят и шьют, какие части тела женщина стремится скрыть, какие хочет показать. Дома она переносила свои мысли на бумагу, число эскизов множилось с каждым днем. Однажды она понесла свои эскизы руководителю крупного торгового дома. Они произвели впечатление.

— Кто разработал эти модели? — спросили ее.

— Я.

— Хорошие модели. Очень хорошие.

Две недели спустя Кендолл получила место помощника у Донны Каран и начала изучать деловую сторону торговли одеждой. Дома она продолжала рисовать. Год спустя показала свою первую коллекцию. Шоу закончилось полным провалом.

В моделях не было изюминки, они не произвели впечатления. На второй показ коллекции просто никто не пришел.

«Я выбрала не ту профессию, — в отчаянии думала Кендолл. «Придет день, когда ты станешь знаменитым модельером», — вспомнились ей слова матери. — Что же я сделала не так? — гадала Кендолл. Глубокой ночью ее осенило: — Я создавала наряды для моделей. А должна создавать их для настоящих женщин, у которых обычная работа, обычная семья. Изящные, но удобные. Шикарные, но практичные».

На подготовку следующей коллекции у Кендолл ушел год, но приняли ее на ура.

Кендолл редко возвращалась в Роуз-Хилл, но каждый ее приезд заканчивался слезами. От отца она не слышала ни одного доброго слова. Более того, с годами он изменялся только к худшему.

— Еще никого не подцепила, а? Наверное, никогда и не подцепишь.

Марка Рено Кендолл встретила на благотворительном балу.

Он работал в международном отделе Нью-Йоркского брокерского дома и занимался зарубежными валютами. На пять лет моложе Кендолл, симпатичный француз, высокий, стройный. Его обаяние и обходительность не остались незамеченными. На следующий вечер он пригласил Кендолл пообедать, после чего она оказалась в его постели. С той поры все ночи они проводили вместе.

— Кендолл, ты же знаешь, что я безумно тебя люблю, — услышала она от него как-то вечером.

— Я искала тебя всю жизнь, Марк, — тихо ответила она.

— Загвоздка только в одном. Ты знаменитость. Я зарабатываю гораздо меньше тебя. Возможно, когда-нибудь...

Кендолл приложила палец к его губам.

— Помолчи. Ты дал мне больше, чем я могла надеяться.

На Рождество Кендолл пригласила Марка в Роуз-Хилл познакомиться с отцом.

— Ты собираешься выйти за него замуж? — взорвался Гарри Стенфорд. — Да он же никто! Он женится на тебе ради денег, которые, по его мнению, ты унаследуешь.

Если Кендолл и искала повод выйти замуж за Марка, то реакция отца пришлась как нельзя кстати. Они поженились на следующий день, в Коннектикуте. И в замужестве Кендолл обрела счастье, которого она никогда не знала.

— Ты не должна позволять отцу помыкать тобой, —

заявил ей Марк. — Всю жизнь он использовал свои деньги как оружие. Нам не нужны его деньги.

И за это Кендолл еще больше любила его.

Марк стал для нее идеальным мужем: добрым, отзывчивым, заботливым. «У меня есть все», — думала Кендолл, сияя от счастья. Прошлое умерло. Она достигла успеха, несмотря на скепсис отца. Через несколько часов мир моды будет любоваться ее творениями, восхищаться ее талантом.

Дождь прекратился. Добрый знак. Показ коллекции произвел фурор. В конце под музыку и фотовспышки на подиум вышла Кендолл, поклонилась. Ей ответили шквалом аплодисментов. Кендолл жалела лишь о том, что рядом нет Марка и он не может разделить с ней триумф. Брокерский дом не отпустил его в Париж.

Когда зрители покинули зал, Кендолл в великолепном настроении вернулась в кабинет.

— Вам письмо. — Помощница протянула ей конверт. — Его принес нарочный.

Кендолл посмотрела на коричневый конверт, и по ее спине пробежал холодок. Она знала, что ее ждет, еще до того, как вскрыла конверт и достала оттуда лист бумаги со следующим текстом:

«Дорогая миссис Рено! К сожалению, вынужден информировать Вас, что Ассоциации защиты диких животных вновь не хватает средств. В самое ближайшее время нам необходимы 100 тысяч долларов для покрытия текущих расходов. Деньги направьте на счет номер 804072 в банк «Швейцарский кредит» в Цюрихе».

Подпись отсутствовала. Кендолл упала в кресло, не отрывая взгляда от письма.

Это никогда не закончится. Ее будут шантажировать до самой смерти.

Другая помощница влетела в кабинет.

— Кендолл! Я только что услышала ужасную новость.

«Что может быть ужаснее этого письма», — подумала Кендолл.

— Какую... какую новость?

— По «Радио-Люксембург» передали, что ваш отец... умер. Он утонул.

До Кендолл не сразу дошел смысл ее слов. А потом мозг пронзила мысль: «Интересно, чем бы он гордился больше — моим успехом или тем, что его дочь — убийца?»

Глава 10

Пегги Малкович вышла замуж за Вудро Стенфорда — Вуди два года тому назад, но для обитателей Хоуб-Саунда она по-прежнему оставалась «той официанткой».

Когда Вуди впервые встретил ее, она работала в гриле «Дождливый лес». Вуди Стенфорд считался в Хоуб-Саунде завидным женихом. Высокий, красивый, мускулистый, превосходно воспитанный, обаятельный, он жил на семейной вилле и считался лакомым кусочком для юных дебютанток из Хоуб-Саунда, Филадельфии, с Лонг-Айленда. Его решение жениться на двадцатипятилетней официантке, дурнушке, не сумевшей окончить даже среднюю школу, дочери рабочего и домохозяйки, словно громом поразило всех.

Шок был особенно велик и потому, что, по всеобщему убеждению, Вуди намеревался сделать предложение Мими Карсон, очаровательной интеллигентной наследнице лесоторговой империи, по уши влюбленной в Вуди.

Как правило, обитатели Хоуб-Саунда предпочитали сплетничать о романах слуг, а не их хозяев, но не пересчитать косточки Вуди они не могли. Скоро стало известно, что сначала он накачал Пегги, а уж потом женился. И ни у кого не возникало сомнений, какой грех считать большим.

— Господи, ясное дело, парень может обрюхатить девчонку, но как можно жениться на официантке!

Вся эта история стала классическим примером deja vu[*]. Двадцатью четырьмя годами раньше Хоуб-Саунд потряс скандал в семействе Стенфорд. Эмили Темпл, происходившая из одной из самых уважаемых в городе семей, покончила с собой, потому что гувернантка детей забеременела от ее мужа.

Вуди Стенфорд открыто признавал, что ненавидит отца, поэтому его решение жениться на официантке истолковали однозначно. Своим поступком сын хотел показать, что он честнее отца.

На свадьбу пригласили только брата Пегги, Хупа, который прилетел из Нью-Йорка. Старше сестры на два года, он работал в пекарне в Бронксе. Высокий, худой, с изъеденным оспой лицом, Хуп говорил с сильным бруклинским акцентом.

— Тебе досталась отличная девушка, — услышал от него Вуди после церемонии.

— Я знаю, — сухо ответил Вуди.

— Ты позаботишься о моей сестренке, не так ли?

— Сделаю все, что в моих силах.

— Вот и славно.

Интересный получился разговор между пекарем и сыном одного из богатейших людей планеты.

---

[*] Уже было (*фр.*).

Через четыре недели после свадьбы Пегги потеряла ребенка.

В Хоуб-Саунде посторонних не жаловали, а на Юпитер-Айленд практически не допускали. Остров с запада отделял от суши канал, а с востока омывал Атлантический океан. Вот уж где право частной собственности соблюдалось свято. Не остров, а рай для богатых, и полиции на квадратный ярд там было больше, чем в любом другом месте. Жители острова гордились своей малочисленностью. Они разъезжали на «таурасах» или пикапах, плавали на маленьких яхтах, восемнадцатифутовых «лайтинг» или двадцатичетырехфутовых «куикстеп».

Тем, кто не удостоился счастья родиться в Хоуб-Саунде, предстояло заслужить право жить в городе. После женитьбы Вуди Стенфорда на «этой официантке» главный вопрос звучал так: принимать новобрачную в свой круг или нет?

Миссис Энтони Пельтье, старейшина Хоуб-Саунда, главный арбитр во всех светских диспутах, видела цель своей жизни в том, чтобы оградить общество от парвеню и нуворишей. Если прибывшие в Хоуб-Саунд новоселы по какой-либо причине вызывали неудовольствие миссис Пельтье, она посылала им со своим шофером кожаный чемодан. Таким способом она информировала их, что в городе им делать нечего.

Ее подруги при каждом удобном случае рассказывали историю о механике гаража и его жене, которые купили дом в Хоуб-Саунде. Миссис Пельтье послала им чемодан, а жена механика, узнав, что сие означает, пренебрежительно рассмеялась. «Если эта старая карга думает, что сможет выгнать меня отсюда, ей самое место в дурдоме!» — заявила она.

Но жизнь в городе у них не сложилась. Если в доме требовалось что-то сделать, они не могли найти ни рабочих, ни ремонтников. А у бакалейщика не оказывалось товаров, которые они заказывали. Они не только не смогли стать членами клуба «Юпитер-Айленд», им не удавалось даже зарезервировать столик в местных ресторанах. И с ними никто не разговаривал. Промыкавшись три месяца, механик и его жена продали дом и перебрались в другой город.

Когда женитьба Вуди стала фактом, жители города затаили дыхание. Отказывая от дома Пегги Малкович, они также отрезали от общества и ее мужа, всеобщего любимчика. На возможное решение миссис Пельтье заключались пари.

Первые несколько недель молодые не получали приглашений на обеды или на общественные мероприятия. Но в Хоуб-Саунде Вуди любили, к тому же его бабушка по материнской линии была среди основателей города. И мало-помалу Вуди и Пегги начали приглашать в гости. Всем хотелось посмотреть на новобрачную.

— В ней наверняка есть что-то особенное, иначе Вуди никогда не женился бы на ней, — под этой фразой поначалу мог расписаться каждый.

Но их ждало жестокое разочарование. Если Пегги чем и отличалась, так это занудством. К тому же она плохо одевалась. Не могло остаться незамеченным и полное отсутствие вкуса.

Друзья Вуди ничего не могли понять. «Что он мог в ней найти? Да ведь за него пошла бы любая!» Одно из первых приглашений пришло от Мими Карсон.

Известие о женитьбе Вуди потрясло ее, но гордость не позволила ей этого показать.

Когда же близкие подруги пытались утешить ее, говоря: «Забудь его, Мими! Ты это переживешь», — она отвечала: «Мне придется с этим жить, потому что забыть его я не смогу».

Вуди всеми силами пытался наладить семейную жизнь. Он уже понял, что допустил ошибку, но не хотел, чтобы страдала из-за нее Пегги. Он стремился быть ей хорошим мужем. Но на беду Вуди у Пегги не было ничего общего с ним и его друзьями.

Пегги чувствовала себя свободно лишь с братом. Она и Хуп каждый день разговаривали по телефону.

— Мне так его недостает, — жаловалась она Вуди.

— Так почему бы ему не приехать и не погостить у нас несколько дней?

— Он не может. — Пегги посмотрела на мужа и злобно добавила: — Он должен работать.

На вечеринках Вуди пытался вовлечь Пегги в общий разговор, но скоро становилось ясно, что сказать ей нечего. Поэтому она молча сидела в углу, нервно облизывая губы и не зная, куда девать руки.

Друзья Вуди знали, что с отцом он не поддерживает никаких отношений, хотя и живет на семейной вилле, а деньги получает из наследства матери. Его страстью было поло, и играл он на пони, занятых у друзей. В мире поло игроки ранжируются по разрядам, в зависимости от количества мячей, в среднем забиваемых за игру. Высшим считается десятый, Вуди поднялся до девятого. Ему доводилось играть с Мариано Агерре из Буэнос-Айреса, Уикки эль-Эффенди из Техаса, Андресом Динисом из Бразилии и с десятками других. Во всем мире десятый разряд имели лишь двенадцать игроков, и Вуди жаждал войти в их ряды.

— Вы же понимаете почему, не так ли? — комментировал это один из его друзей. — Десятый разряд был у его отца.

Мими знала, что у Вуди нет денег на покупку собственных пони, поэтому купила их она. На вопросы подруг, почему она это сделала, Мими отвечала: «Я хочу, чтобы он был счастлив».

Когда люди, приехавшие в Хоуб-Саунд, спрашивали, чем Вуди зарабатывает себе на жизнь, старожилы пожимали плечами. Он не работал. Делал ставки на игры в поло. Занимал у других пони и яхты, а иной раз и жен.

Жизнь с Пегги не складывалась, хотя Вуди и отказывался это признать.

— Пегги, — частенько говорил он, — когда мы приходим на вечеринки, пожалуйста, пытайся поучаствовать в общем разговоре.

— С какой стати? Твои друзья полагают, что говорить со мной ниже их достоинства.

— Это не так, — уверял ее Вуди.

Раз в неделю в загородном клубе собирался Литературный кружок Хоуб-Саунда. Обсуждение новых книг плавно перетекало в ленч.

В один из таких дней, когда дамы уже сидели за обеденным столом, к миссис Пельтье обратился стюард.

— Пришла миссис Вудро Стенфорд. Она хотела бы присоединиться к вам.

Над столом повисла мертвая тишина.

— Пригласите ее сюда, — распорядилась миссис Пельтье.

Мгновением позже Пегги вошла в столовую. Она вымыла волосы, погладила свое лучшее платье. И застыла у двери, нервно оглядывая сидящих за столом женщин.

Миссис Пельтье кивнула ей.

— Миссис Стенфорд, — голос ее звучал предельно благожелательно.

Пегги с готовностью улыбнулась.

— Да, мадам.

— Мы не нуждаемся в ваших услугах. У нас уже есть официантка, — и миссис Пельтье вновь принялась за еду.

Когда Вуди узнал об этом, он пришел в ярость.

— Как она посмела так поступить! — он обнял Пегги. — В следующий раз спрашивай меня, Пегги, прежде чем сделать что-то подобное. На ленч Литературного кружка без приглашения не приходят.

— Я этого не знала. — Пегги тяжело вздохнула.

— Давай забудем об этом. Сегодня мы обедаем у Блейков, и я хочу...

— Я не пойду!

— Но они нас ждут.

— Иди один.

— Я не хочу идти без...

— Я не пойду.

Вуди пошел один, а в дальнейшем просто перестал брать Пегги с собой.

Приходил он далеко за полночь, иной раз под утро, и Пегги не раз чувствовала, что Вуди был с женщиной.

Несчастный случай все изменил.

Произошло это в ходе игры в поло. Соперник, пытаясь ударить по мячу, попал по ногам пони, на котором сидел Вуди. Пони упал, подмяв Вуди под себя. В возникшей сутолоке второй пони лягнул лежащего на земле Вуди. В палате реанимации выяснилось, что у Вуди сломана нога, три ребра и перфорировано легкое.

За последующие две недели ему сделали три операции. Его постоянно мучили боли. Чтобы снять их, врачи кололи Вуди морфий. Пегги навещала его каждый день. Хуп прилетел из Нью-Йорка, чтобы утешить сестру.

Физическая боль изматывала, и снимали ее только наркотики, которые врачи прописывали Вуди. После возвращения домой он разительно изменился. Ему стали свойственны резкие перепады настроения. Он мог радостно улыбаться, а минутой позже его охватывал приступ ярости или он впадал в глубокую депрессию. За обедом Вуди мог смеяться и шутить, а затем внезапно набрасывался на Пегги с упреками. Он мог замолчать, не договорив фразу до конца. У него ухудшилась память. Вуди договаривался о встречах и не приходил. Он приглашал людей в свой дом, а сам оказывался совсем в другом месте, когда они приезжали. Всех тревожило состояние его здоровья.

Вскоре он стал публично оскорблять Пегги. Как-то раз, принеся гостю чашечку кофе, Пегги чуть расплескала его, и Вуди пренебрежительно бросил: «Официантка всегда останется официанткой».

Он начал поколачивать Пегги. Люди, видя синяки, естественно, спрашивали, что случилось, но она всячески выгораживала мужа, отвечая: «Я наткнулась на дверь» или «Я упала». Общество негодовало. Теперь все жалели Пегги. Если же своим поведением Вуди оскорблял кого-то еще, Пегги опять вставала на защиту мужа.

— Вуди пришлось столько пережить, — говорила она. — Он просто не в себе.

Пегги никому не позволяла ругать своего мужа.

Разгадку происходящего нашел доктор Тичнер. Как-то раз он попросил Пегги заглянуть к нему.

Она заметно нервничала.

— Что-то не так, доктор?

Он всмотрелся в ее лицо. Синяк на щеке, заплывший глаз.

— Пегги, тебе известно, что Вуди принимает наркотики?

Ее глаза негодующе сверкнули.

— Быть такого не может!

— Присядь, Пегги. Пора тебе взглянуть правде в глаза. Ты же заметила неадекватность его поведения. То у него все в полном порядке, весь мир лежит у его ног, а минутой позже он готов на самоубийство.

Пегги побледнела, но ничего не сказала.

— Он стал наркоманом.

Ее рот превратился в щелочку.

— Нет, — упрямо заявила она. — Не стал.

— К сожалению, стал. Будь реалисткой. Разве ты не хочешь ему помочь?

— Разумеется, хочу. — Она заломила руки. — Я готова на все, лишь бы помочь ему. На все.

— Хорошо. Тогда начнем. Я хочу, чтобы ты помогла мне уложить Вуди в клинику. Хорошо бы он зашел ко мне.

Пегги долго смотрела на доктора, потом кивнула.

— Я с ним поговорю.

В тот же день, ближе к вечеру, Вуди в радужном настроении вошел в кабинет доктора Тичнера.

— Вы хотели видеть меня, док? Насчет Пегги, не так ли?

— Насчет тебя, Вуди.

Вуди изумленно вытаращился на него.

— Насчет меня? А что со мной?

— Я думаю, тебе известно лучше меня.

— Что вы такое говорите?

— Если ты будешь продолжать в том же духе, то погубишь и себя, и Пегги. Что ты принимаешь, Вуди?

— Принимаю?

— Ты прекрасно слышал, что я сказал.

Последовала долгая пауза.

— Я хочу тебе помочь.

Вуди какое-то время сидел, уставившись в пол, и наконец заговорил осипшим от волнения голосом.

— Вы правы. Я... я думал, что справлюсь сам, но ничего не получается.

— Что ты принимаешь?

— Героин.

— Боже мой!

— Поверьте, я пытался остановиться, но... не смог.

— Тебе нужна помощь, и есть клиники, где ты можешь ее получить.

Вуди тяжело вздохнул.

— Будем надеяться, что вы правы.

— Я предлагаю тебе лечь в «Харбор гроуп клиник» на Юпитере. Попробуешь?

Короткая нерешительная пауза.

— Да.

— Кто снабжает тебя героином? — спросил доктор Тичнер.

Вуди покачал головой.

— Этого я вам не скажу.

— Хорошо. С клиникой я свяжусь немедленно.

На следующее утро доктор Тичнер сидел в кабинете начальника полиции.

— Кто-то снабжает его героином, но фамилию он мне не назвал.

Мюрфи, начальник полиции, посмотрел на Тичнера.

— Я, похоже, знаю, кто это делает.

В списке подозреваемых значилось лишь несколько имен. Хоуб-Саунд — городок небольшой, каждый человек как на ладони.

На Бридж-роуд недавно открылся винный магазин, откуда заказы доставляли в любое время дня и ночи.

Доктора из местной больницы оштрафовали за то, что он выписывал слишком уж много препаратов, содержащих наркотические вещества.

Годом раньше на другой стороне канала открылся спортивный зал, и, по слухам, тренер снабжал постоянных клиентов стероидами и анаболиками.

Но начальник полиции имел в виду другого человека. Тони Бенедотти долгие годы работал садовником у многих жителей Хоуб-Саунда. В свое время он окончил курсы садоводов и создавал прекрасные сады. Клумбы, лужайки, декоративные кусты, к которым он приложил руку, по праву считались самыми красивыми в Хоуб-Саунде. Держался Бенедотти скромно, и люди, у которых он работал, знали о нем очень немного. Для садовника он был слишком хорошо образован, поэтому многих интересовало его прошлое.

Мюрфи вызвал его к себе.

— Если вы насчет просроченного водительского удостоверения, так я его обновил, — начал Бенедотти, едва переступив порог кабинета.

— Садитесь, — приказал Мюрфи.

— А что, есть проблемы?

— Да. Вы образованный человек, не так ли?

— Да.

Начальник полиции откинулся на спинку кресла.

— И как же вы стали садовником?

— Люблю природу, знаете ли.

— А что еще вы любите?

— Я вас не понимаю.

— Как давно вы копаетесь в земле?

Бенедотти недоумевающе смотрел на начальника полиции.

— На меня пожаловался кто-то из моих работодателей?

— Отвечайте на вопрос.

— Примерно пятнадцать лет.

— У вас есть дом и яхта?

— Да.

— Вы смогли их купить на жалованье садовника?

— Дом у меня небольшой, да и яхта маленькая.

— Может, у вас есть приработок?

— Что вы...

— Вы работаете и в Майами, не так ли?

— Да.

— Там живет много итальянцев. Вы никогда не оказывали им мелкие услуги?

— Какие услуги?

— Не торговали наркотиками?

Бенедотти в ужасе уставился на него.

— Боже ты мой! Разумеется, нет.

Мюрфи наклонился вперед.

— Вот что я вам скажу, Бенедотти. Я давно присматриваюсь к вам. Наводил справки у некоторых ваших работодателей. Ни вы, ни ваши друзья из мафии нам здесь больше не нужны. Это понятно?

Бенедотти на мгновение закрыл глаза.

— Очень даже понятно.

— Хорошо. Надеюсь, к завтрашнему дню вы уберетесь отсюда. Я не хочу вас больше видеть.

Вуди Стенфорд пробыл в «Харбор гроуп клиник» три недели и вышел оттуда прежним Вуди, обаятельным, веселым, словом, душой компании. Вновь начал играть в поло на пони Мими Карсон.

В воскресенье «Загородный клуб поло» отмечал свое восемнадцатилетие, поэтому бульвар Южного берега запрудили автомобили трех тысяч поклонников поло. Они спешили занять места в ложах на западной стороне поля и стоячие места на восточной трибуне. В тот день в игре участвовали несколько мировых звезд поло.

Пегги сидела в ложе Мими Карсон, пригласившей ее на праздник.

— Вуди сказал мне, что раньше ты никогда не присутствовала на матчах. Почему?

Пегги облизала губы.

— Я... я очень волновалась за Вуди. Не могла смотреть на поле. Боялась. Я не хочу, чтобы с ним повторилась та история. Это ведь очень опасный вид спорта, правда?

Мими задумалась.

— На поле восемь игроков, каждый весом в сто семьдесят пять фунтов. Их пони весят по девятьсот фунтов. Они гоняются друг за другом по трехсотярдовому полю со скоростью до сорока миль в час... Да, несчастные случаи более чем возможны.

По телу Пегги пробежала дрожь.

— Если с Вуди опять что-нибудь случится, я этого не переживу. Сойду с ума от волнений.

— Не беспокойся, — успокоила ее Мими Карсон. —

Вуди — один из лучших игроков. Его тренировал сам Гектор Баррантас.

— Кто? — По выражению лица Пегги чувствовалось, что имя это ей ничего не говорит.

— Игрок десятого разряда. В мире знатоков поло его боготворят.

Зрители загудели, как только пони поскакали в разные стороны.

— Что происходит? — спросила Пегги.

— Они закончили разминку и готовы к игре.

На поле две команды выстроились напротив друг друга под жарким флоридским солнцем, ожидая, пока судья вбросит мяч в игру.

Вуди выглядел великолепно, загорелый, гибкий, подтянутый, рвущийся в схватку. Пегги помахала ему рукой и послала воздушный поцелуй.

— Игра состоит из шести таймов, называемых чакерами, — объясняла Мими Карсон. — Чакер продолжается семь минут. Об окончании чакера возвещает удар колокола. Потом короткий перерыв. Перед каждым чакером игроки меняют пони. Выигрывает команда, которая забьет больше мячей.

— Ясно.

— Мими приходилось только гадать, что стало ясно Пегги.

На поле игроки не отрывали глаз от судьи, с нетерпением ожидая вбрасывания. Судья оглядел зрителей, а затем швырнул белый пластиковый мяч между двух рядов игроков. Матч начался.

События развивались быстро. Вуди первым успел к мячу, ударил по нему, мяч отлетел в сторону игрока соперников. Тот галопом помчался к мячу, Вуди последовал за ним и подцепил его клюшку, чтобы помешать точному удару.

— Почему Вуди это сделал? — спросила Пегги.

— Когда мяч у соперника, — объяснила Мими Карсон, — игрок имеет право подцепить его клюшку, чтобы тот не смог сделать передачу или ударить по воротам. Вуди отнял у него мяч и теперь...

Но слова уже не успевали за действиями. С поля доносилось:

— В центр...

— На край...

— Мой...

Игроки носились на полной скорости. Успех команды на семьдесят пять процентов зависел от пони. Не зря их специально выращивали для поло. Помимо скорости от них требовалось особое чувство игры — умение предвосхитить команду всадника.

Первые три чакера Вуди отыграл блестяще, забив в каждом по два гола. Зрители приветствовали его радостным ревом. Его клюшка поспевала всюду. Это был прежний Вуди Стенфорд, бесстрашный, быстрый, как ветер. К концу пятого чакера команда Вуди вырвалась далеко вперед. Игроки покинули поле на последний перерыв.

Проезжая мимо ложи, где сидели Мими и Пегги, Вуди улыбнулся им обеим.

Пегги повернулась к Мими.

— Разве он не прелесть? — в избытке чувств воскликнула она.

Мими холодно кивнула.

— Да. Во всех смыслах.

Партнеры Вуди поздравляли его.

— Отличная игра, старина! Ты просто неудержим!

— Ты молодчина!

— Спасибо тебе.

— Мы снова натянем им нос. У них нет ни единого шанса!

Рот Вуди растянулся в широкой улыбке.

— Это точно.

Он наблюдал, как его партнеры потянулись на поле, и внезапно силы оставили его. «Я слишком выложился в первых таймах, — подумал он. — Похоже, я еще не готов к игре. Боюсь, я не выдержу. Если я в таком виде выйду на поле, надо мной будут смеяться».

Его охватила паника, сердце учащенно забилось. «Надо взбодриться, — последовала мысль. — Нет! Нельзя этого делать. Я не могу. Я обещал. Но команда меня ждет. Надеется на меня. Только разок, и никогда больше. Клянусь Богом, последний раз».

Он поспешил к своему автомобилю и залез в бардачок.

Когда Вуди вернулся на поле, он что-то мурлыкал себе под нос, а его глаза неестественно блестели. Он помахал клюшкой зрителям и присоединился к партнерам. «Команда мне не нужна, — думал он. — Я справлюсь с этими засранцами один. Я лучший в мире игрок». И он захихикал.

Столкновение случилось в шестом чакере, и, по мнению многих зрителей, его нельзя было считать случайным.

Пони неслись к воротам, мяч контролировал Вуди. Краем глаза он заметил сближающегося с ним игрока соперников и чуть отбросил мяч назад, но его тут же перехватил Рик Гамильтон, лидер соперников. Теперь уже он гнал мяч к воротам. Вуди бросился следом. Попытался подцепить клюшку Гамильтона, но неудачно. Ворота стремительно приближались. Вуди изо всех сил старался овладеть мячом, но у него ничего не выходило.

И тогда Вуди бросил пони на Гамильтона, оттерев того от мяча. Гамильтон и его пони свалились на землю. Зрители вскочили на ноги, возмущенно крича. Судья засвистел и поднял руку, останавливая игру.

Первое правило поло гласит: если игрок владеет мячом и ведет его к воротам, нельзя пересекать линию его движения. Тот, кто это делает, создает опасную ситуацию и должен понести наказание.

Игра остановилась. Судья подошел к Вуди. В голосе его слышалась злость.

— Это преднамеренная грубость, мистер Стенфорд!

Вуди усмехнулся.

— Это не моя вина. Его чертов пони...

— Ваши соперники получают очко.

Последний чакер не удался. С разрывом в три минуты Вуди еще дважды нарушал правила, и соперники получили два очка. А за тридцать секунд до конца игры они провели победный мяч. Победа, которую команда Вуди уже почти держала в руках, обернулась обидным проигрышем.

В ложе Мими Карсон сидела словно пораженная громом. Такого она никак не ожидала.

— Игра закончилась не так, как хотелось? — спросила Пегги. Она тоже почувствовала что-то неладное.

Мими повернулась к ней.

— Да, Пегги. К сожалению, не так.

В ложу вошел стюард.

— Мисс Карсон, вы позволите сказать вам пару слов?

Мими Карсон повернулась к Пегги.

— Пожалуйста, извини.

Пегги проводила их взглядом.

После игры команда Вуди сидела как в воду опущенная. Вуди не решался поднять голову и посмотреть на партнеров. Его мучил стыд. Мими Карсон поспешила к нему.

— Вуди, я должна сообщить тебе ужасную новость. — Она положила руку ему на плечо. — Твой отец умер.

Вуди поднял на нее глаза, покачал головой. Из груди его вырвалось рыдание.

— Я... Ответственность лежит на мне. Это моя... моя вина.

— Нет. Не нужно винить себя. Ты тут ни при чем.

— Еще как при чем, — Вуди всхлипнул, слезы катились по его щекам. — Разве ты не понимаешь? Если б не мои штрафные очки, мы бы победили.

Глава 11

Джулия Стенфорд никогда не встречалась с отцом, а теперь он умер, сжавшись от человека из плоти и крови до заголовка в «Канзас-Сити стар»: «ФИНАНСОВЫЙ МАГНАТ ГАРРИ СТЕНФОРД ТОНЕТ В МОРЕ!» Она сидела за столом, уставившись на фотографию отца, и ее раздирали противоречивые эмоции. «Ненавижу ли я его за отношение к матери или люблю, потому что он мой отец? Испытываю ли я чувство вины за то, что не попыталась связаться с ним, или злюсь, поскольку он не захотел меня найти? Не важно все это, — подвела она черту. — Он умер».

Отец не существовал для нее всю жизнь, а теперь вот умер вновь, лишив ее чего-то необъяснимого, не выражаемого словами. Она словно потеряла что-то дорогое и близкое. «Глупость какая, — думала Джулия. — Как мне может недоставать человека, которого я в глаза не видела? — Она вновь посмотрела на фотографию в газете. — Есть ли у нас что-то общее? — Джулия повернулась к зеркалу. — Глаза. Разрез глаз и цвет. Серый. И у меня, и у него».

Джулия подошла к стенному шкафу в спальне, достала картонную коробку, вынула из нее альбом в кожаном переплете для наклеивания вырезок. Присев на краешек кровати, раскрыла альбом и два часа разглядывала до боли знакомое содержимое. Фотографии матери в униформе гувернантки, с Гарри Стенфордом, с миссис Стенфорд, с их тремя маленькими детьми. Фотографировались они главным образом на яхте в Роуз-Хилл и на вилле в Хоуб-Саунде.

Джулия перечитала пожелтевшие газетные вырезки, где описывался давний скандал, разразившийся в Бостоне. Заголовки стоили друг друга:

«ЛЮБОВНОЕ ГНЕЗДЫШКО НА БИКОН-ХИЛЛ», «МИЛЛИАРДЕР ГАРРИ СТЕНФОРД — ГЕРОЙ СКАНДАЛА», «САМОУБИЙСТВО ЖЕНЫ ФИНАНСОВОГО МАГНАТА», «ГУВЕРНАНТКА РОЗМАРИ НЕЛСОН ИСЧЕЗАЕТ». Десятки еженедельных колонок из разных газет, все с пикантными подробностями, то ли реальными, то ли родившимися в воображении обозревателей.

Джулия долго сидела на кровати, погруженная в прошлое.

Родилась она в больнице святого Иосифа в Милуоки. Воспоминания раннего детства сохранили маленькие обшарпанные квартирки, которые постоянно менялись: они с матерью переезжали из города в город. Случалось, что денег не было вовсе и они жили впроголодь. Мать постоянно болела, часто не могла найти работу. Так что девочка быстро привыкла не просить игрушки или новое платье.

В школу Джулия пошла в пять лет, и одноклассники высмеивали ее за то, что она всегда приходила в одном и том же платье и стоптанных туфельках. Когда дети доставали ее, Джулия пускала в ход кулаки. С обидами она не мирилась, поэтому ее частенько отсылали к директору школы. Учителя не знали, как с ней сладить. С Джулией все время что-то приключалось. Но не выгоняли ее по одной причине: она всегда была лучшей ученицей.

Мать сказала Джулии, что ее отец умер, и она больше не задавала никаких вопросов. Но в двенадцать лет Джулия случайно наткнулась на альбом с фотографиями матери среди незнакомых ей людей.

— Кто эти люди? — спросила Джулия.

Мать решила, что пора сказать девочке правду.

— Присядь, дорогая. — Она крепко сжала руку Джулии. — Это твой отец, это твоя сводная сестра, это два твоих сводных брата.

На лице Джулии отразилось недоумение.

— Я не понимаю.

Правда потрясла девочку. Ее отец жив. У нее два сводных брата и сестра. Как это все осознать?

— Почему... почему ты обманывала меня?

— Ты была слишком мала, чтобы понять. Твой отец и я... у нас был роман. Но он был женат, и мне... мне пришлось уехать, чтобы родить тебя.

— Я его ненавижу! — воскликнула Джулия.

— У тебя нет причин ненавидеть его.

— Как он мог так обойтись с тобой? — негодовала она.

— В происшедшем моей вины никак не меньше, чем его. — Каждое слово давалось Розмари с трудом. — Твой отец очень интересный мужчина, а я была молодой и глупой. Я же знала, что из нашего романа не выйдет ничего путного. Он говорил, что любит меня... но... жена, дети. А потом... потом я забеременела. — У Розмари перехватило дыхание, и она смогла продолжить только после долгой паузы. — Один репортер прознал о наших отношениях, и о нас начали писать газеты. Я убежала. После твоего рождения я собиралась вернуться и показать тебя ему, но его жена покончила с собой, и я... я не смогла заставить себя встретиться с ним или с его детьми. Сама видишь, это моя вина. Так что не вали все на него.

Но часть этой истории Розмари сохранила в тайне от дочери. Когда родился ребенок, чиновник из отдела регистрации новорожденных спросил: «Как запишем в свидетельстве о рождении? Джулия Нелсон?»

Розмари едва не ответила утвердительно, но в последний момент ее пронзила мысль: «Нет! Она же дочь Гарри Стенфорда. И имеет право на его имя и поддержку».

— Мою дочь зовут Джулия Стенфорд.

Она написала Гарри Стенфорду, известив его о рождении Джулии, но ответа не получила.

Известие о том, что у нее есть семья, о которой она знать не знала, зачаровало Джулию. Не просто семья, а знаменитости, о которых пишут газеты. Она пошла в библиотеку и перечитала все, что смогла найти о Гарри Стенфорде. Писали о нем многие и много. Миллиардер, живущий в мире, из которого изгнали Джулию и ее мать.

Однажды, когда кто-то из одноклассников уколол Джулию ее бедностью, она возразила:

— Я не бедная. Мой отец — один из богатейших людей мира. У нас есть яхта, самолет, дюжина домов.

Ее услышала учительница.

— Джулия, подойди ко мне.

Джулия подошла к столу учительницы.

— Лгать нехорошо, Джулия.

— Я не лгу, — отрезала девочка. — Мой отец — миллиардер! Он знаком с королями и президентами!

Учительница смерила взглядом стоящую перед ней девочку в дешевом хлопчатобумажном платье.

— Джулия, это неправда.

— Правда! — упорствовала Джулия.

Ее послали в кабинет директора. Больше она об отце не упоминала.

Джулия узнала, что переезжать из города в город ей и матери приходилось из-за прессы. Гарри Стенфорд не сходил со страниц газет и экранов телевизоров, так что обозреватели колонок светской хроники никому не позволяли забыть о давнем скандале. Местные репортеры в конце концов узнавали, кто такая Розмари Нелсон, и ей приходилось хватать дочь в охапку и уезжать в другой город.

Когда Джулия читала очередную статью о Гарри Стенфорде, ее так и подмывало позвонить ему. Ей хотелось верить, что все эти годы он безуспешно пытался разыскать ее мать. «Я позвоню ему, — думала она, — и скажу: «Говорит твоя дочь. Если ты хочешь повидать нас...»

Он приедет, вновь влюбится в мать, женится на ней, и они заживут вместе в радости и согласии.

Джулия Стенфорд выросла красавицей. Роскошные черные волосы, чувственный рот, огромные серые глаза, великолепная фигура. Но когда она улыбалась, люди забывали и о ее длинных ногах, и о тонкой талии, и о высокой груди. Они видели только ее улыбку.

Из-за частых переездов Джулия училась в школах пяти штатов. Летом она подрабатывала, нанимаясь продавцом в магазины и аптеки, регистратором в больницу. Более всего она ценила независимость.

Колледж Джулия окончила в Канзас-Сити на стипендию, выплачиваемую штатом. Что делать дальше, она не знала. Все подруги советовали ей податься в актрисы, такая она была красивая.

— Ты сразу станешь звездой! — уверяли они ее.

Джулия отмахивалась.

— Мне это ни к чему.

Причина заключалась в том, что Джулия не хотела делать свою личную жизнь достоянием гласности. Пресса досаждала ей и матери много лет, пережевывая событие, происшедшее в стародавние времена.

Мечта Джулии о воссоединении отца и матери развеялась в тот день, когда умерла Розмари. «Отец должен знать об этом, — подумала Джулия. — Мать была частью его жизни».

Она нашла телефон его компании в Бостоне.

— Доброе утро. «Стенфорд энтерпрайзез», — услышала она голос секретаря. Джулия молчала. — «Стенфорд энтерпрайзез». Алло? Чем я могу вам помочь?

Джулия медленно положила трубку на рычаг.

Мама не одобрила бы этот звонок. Она осталась одна. Во всем мире.

Джулия похоронила мать на кладбище в Канзас-Сити. За гробом она шла одна. Постояла у могилы. «Это несправедливо, мама, — думала она. — Ты сделала одну ошибку и расплачивалась за нее всю жизнь. Как бы я хотела взять часть твоей боли. Я так тебя люблю, мама. Я всегда буду тебя любить».

От матери ей остались старые фотографии и пожелтевшие газетные вырезки.

После смерти матери Джулия не раз думала о семье Стенфорд. Они богаты. Она могла бы обратиться к ним за помощью. «Нет, — решила она, — не попрошу у них ни цента, раз Гарри Стенфорд так жестоко обошелся с моей матерью».

Но ведь надо зарабатывать на жизнь. Предстояло решить, как жить дальше. «Может, мне стать нейрохирургом? — подумала она. — Или художником? Оперной певицей? Физиком? Астронавтом?»

Она поступила на вечерние курсы секретарей при Муниципальном колледже Канзас-Сити. На следующий день после окончания курсов Джулия пришла в агентство по трудоустройству. Собеседования с консультантом ожидали человек десять. Джулия села рядом с симпатичной женщиной ее возраста.

— Привет! Я Салли Коннорс, — представилась она.

— Джулия Стенфорд.

— Я должна получить сегодня работу, — простонала Салли. — Меня выбросили из квартиры.

Джулия услышала, как по системе громкой связи объявили ее имя.

— Удачи тебе! — крикнула вслед Салли.

— Спасибо.

Джулия вошла в кабинет консультанта.

— Присядьте, пожалуйста.

— Благодарю вас.

— Из вашей анкеты следует, что вы окончили колледж, работали летом. На курсах вас рекомендуют с самой лучшей стороны. — Она посмотрела на лежащие перед ней бумаги. — Стенографируете вы со скоростью девяносто слов в минуту, печатаете — шестьдесят.

— Да, мадам.

— Думаю, у меня есть для вас место. Небольшая архитектурная фирма ищет секретаря. Жалованье, к сожалению, невелико...

— Ничего страшного, — быстро вставила Джулия.

— Вот и отлично. Держите адрес. — Она протянула Джулии лист бумаги с названием фирмы и адресом. — Они ждут вас завтра в полдень.

Джулия лучезарно улыбнулась.

— Благодарю вас.

Она чувствовала, что все будет хорошо. Как только Джулия вышла из кабинета, туда вызвали Салли.

— Надеюсь, тебе что-нибудь предложат, — улыбнулась ей Джулия.

— Спасибо на добром слове.

Джулия решила подождать Салли. Та вышла через десять минут, сияя как медный таз.

— Меня пригласили на собеседование. Завтра я отправляюсь в Американскую компанию взаимного страхования. А как твои дела?

— Завтра тоже иду на собеседование.

— Я уверена, что у нас все получится. Не отметить ли нам это дело?

— Отличная мысль.

За ленчем они трещали без умолку и вскоре стали закадычными подругами.

— Я приглядела квартиру в Оверленд-парк, — заметила Салли. — Две спальни, ванная, кухня, гостиная. Отличная квартирка. Одной она мне не по карману, но вдвоем...

Джулия улыбнулась.

— Почему нет? — она скрестила пальцы. — Если я получу работу.

— Обязательно получишь! — заверила ее Салли.

«Возможно, это мой шанс, — думала Джулия по пути к зданию, где размещалась фирма «Питерс, Истман и Толкин». — Первый шаг в светлое будущее. А будущее — это не только работа. Я буду работать у архитекторов. Мечтателей, которые строят голубые города, создают красоту из камня, стали, стекла. Может, я сама начну изучать архитектуру, чтобы помочь им обращать мечты в реальность».

Фирма располагалась в знававшем лучшие времена административном здании на бульваре Любви. Джулия поднялась на третий этаж, вышла из кабины, нашла поцарапанную деревянную дверь с табличкой:

«ПИТЕРС, ИСТМАН И ТОЛКИН. АРХИТЕК-

ТОРЫ». Глубоко вздохнув, чтобы успокоиться, открыла дверь и переступила порог. Трое мужчин, ожидавших Джулию в приемной, оглядели ее с головы до ног.

— Вы пришли наниматься в секретари? — спросил один, лысый.

— Да, сэр.

— Я Эл Питерс, — представился он.

— Боб Истман, — подал голос второй, с волосами, забранными в конский хвост.

— Макс Толкин. — Третьего отличал толстый живот.

Всем им было лет по сорок с небольшим.

— Как мы понимаем, секретарем вы раньше не работали, — продолжил Эл Питерс.

— Нет, сэр, — ответила Джулия и тут же добавила: — Но учусь я быстро. К тому же я очень трудолюбива, — она решила не упоминать о том, что думает со временем стать архитектором. С этим можно подождать, сначала надо получить место.

— Хорошо, мы вас возьмем, — подал голос Боб Истман. — И посмотрим, что из этого выйдет.

Джулию охватила радость.

— Большое вам спасибо! Вы не пожалеете...

— Насчет жалованья, — перебил ее Макс Толкин. — К сожалению, новичкам платить много мы не можем...

— Ничего страшного, — вырвалось у Джулии. — Я...

— Триста долларов в неделю, — теперь ее перебил Эл Питерс.

Действительно немного. Но Джулия для себя уже все решила.

— Я согласна.

Они переглянулись, разом заулыбались.

— Отлично! — воскликнул Питерс. — Позвольте показать вам наши владения.

Экскурсия заняла лишь несколько секунд. Маленькая приемная и три комнаты, обставленные мебелью, которая могла попасть сюда лишь со складов Армии спасения. Туалет в конце коридора. Все трое были архитекторами, но Эл Питерс вел деловые переговоры, Боб Истман находил клиентов, а Макс Толкин курировал строительство.

— Вы будете работать на нас всех, — предупредил ее Питерс.

— Прекрасно. — Джулия знала, что скоро она станет незаменимой для каждого.

Эл Питерс посмотрел на часы.

— Половина первого. Как насчет ленча?

Джулия была в восторге. Ее уже приняли в команду и приглашают на ленч!

Питерс повернулся к Джулии.

— В конце квартала есть кулинария. Мне принесите сэндвич на ржаном хлебце с копченой говядиной и горчицей, картофельный салат и сухое печенье.

— О! — Вот тебе и приглашение на ленч.

— Мне, пожалуйста, сэндвич с охотничьими колбасками и куриный суп, — заказал Толкин.

— Да, сэр.

— А мне ростбиф и бутылку прохладительного напитка, — вступил Боб Истман.

— И проследите, чтобы говядина была постной, — уточнил Эл Питерс.

— Постная копченая говядина, — кивнула Джулия.

— Суп должен быть горячим, — уточнил Макс Толкин.

— Ясно. Горячий куриный суп, — кивнула Джулия.

— Из прохладительных напитков я предпочитаю диет-колу, — уточнил Боб Истман.

— Диет-кола, — кивнула Джулия.

— Вот вам деньги. — Эл Питерс протянул ей двадцатку.

Десять минут спустя Джулия стояла перед прилавком в кулинарии.

— Мне, пожалуйста, один сэндвич на ржаном хлебце с постной копченой говядиной и горчицей, картофельный салат и сухое печенье. Сэндвич с охотничьими колбасками и очень горячий куриный суп. Ростбиф и бутылку диет-колы.

Мужчина за прилавком кивнул.

— Вы работаете у Питерса, Истмана и Толкина, так?

На следующей неделе Джулия и Салли переехали в квартиру в Оверленд-парк. Квартира эта, с двумя маленькими спальнями, гостиной, кухонькой и ванной, перевидала многих жильцов. «С «Ритцем» ее никогда не спутаешь», — подумала Джулия.

— Готовить будем по очереди, — предложила Салли.

— Согласна, — кивнула Джулия.

Первой готовила Салли, да так, что Джулия чуть ли не вылизала тарелку.

На следующий вечер пришел черед Джулии. Салли проглотила одну ложку и посмотрела на подругу.

— Джулия, жизнь у меня одна, и пожить хочется

подольше. Пожалуй, я буду готовить, а ты — прибираться в квартире. Не возражаешь?

Подруги отлично ладили. По уик-эндам ходили в кино или по магазинам на Биннистер-Молл. Одежду они покупали со скидкой в «Супер фли дисконт хаус». Раз в неделю обедали в дорогом ресторане «Олд эппл фарм» или в кафе «Макс». Если оставались деньги, заходили в «Чарли Чарлз» послушать джаз.

Джулии нравилась работа у Питерса, Истмана и Толкина. Фирма, однако, переживала далеко не лучшие времена. Клиенты не ходили табуном. Джулия чувствовала, что вносит не такую уж большую лепту в созидание голубых городов, но ей нравились три ее босса. Каждый из них шел к ней со своими проблемами. К тому же работать она умела и вскоре навела в конторе идеальный порядок.

Джулия решила, что поток клиентов необходимо увеличить. Но как? Ответ она нашла быстро. В «Канзас-Сити стар» появилась заметка о ленче для членов новой организации, объединяющей женщин, которые занимали руководящие должности. Возглавляла ее Сюзан Бенди.

На следующий день Джулия предупредила Эла Питерса, что задержится после ленча.

Он улыбнулся.

— Нет проблем, Джулия, — и подумал, как им повезло с секретарем.

Джулия прямиком направилась в «Плаза-Инн»,

нашла зал, снятый на ленч. У двери за столиком сидела женщина.

— Могу я вам чем-нибудь помочь?

— Да. Я пришла на ленч «Женщин-руководительниц».

— Ваше имя?

— Джулия Стенфорд.

Женщина справилась с лежащим перед ней списком.

— К сожаления, я не...

Джулия лучезарно улыбнулась.

— Это так похоже на Сюзан. Придется поговорить с ней об этом. Я исполнительный секретарь компании «Питерс, Истман и Толкин».

Женщина растерялась, не зная, что сказать.

— Ну...

— Не волнуйтесь. Я найду Сюзан, и мы во всем разберемся.

В банкетном зале несколько хорошо одетых женщин о чем-то щебетали между собой. Джулия обратилась к одной из них:

— Вы не подскажете мне, кто тут Сюзан Бенди?

Ей указали на высокую, яркую женщину лет сорока с небольшим. Джулия подошла к ней.

— Привет. Я Джулия Стенфорд.

— Добрый день.

— Я работаю в «Питерс, Истман и Толкин». Уверена, вы о них слышали.

— Я... э...

— В Канзас-Сити это наиболее динамично развивающаяся архитектурная фирма.

— Понятно.

— У меня мало свободного времени, но я хотела бы оказать посильную помощь нашей организации.

— Мы можем только приветствовать ваш энтузиазм, мисс...

— Стенфорд.

Вот так все и началось.

«Женщины-руководители» объединяли сотрудников ведущих компаний Канзас-Сити, и вскоре Джулия перезнакомилась со всеми. По крайней мере раз в неделю она встречалась с кем-нибудь за ленчем.

— Наша компания собирается строить дом в Олате.

Джулия немедленно докладывала об этом боссам.

— Мистер Хэнки хочет построить летний коттедж в Тонганокси.

«Питерс, Истман и Толкин» получали заказы еще до того, как другие узнавали, что кому-то требуются услуги архитекторов.

Боб Истман вызвал Джулию к себе.

— Ты заслуживаешь повышения, Джулия. Отлично работаешь. Потрясающий секретарь!

— У меня есть к вам одна просьба.

— Я тебя слушаю.

— Называйте меня исполнительным секретарем. Это добавляет мне солидности, знаете ли.

Время от времени Джулия читала газетные статьи о своем отце, видела его на экране телевизора в ходе интервью или в выпусках новостей. Она не говорила о нем ни Салли, ни работодателям.

В юности Джулия в мечтах видела себя Дороти[*], чудесным образом перенесенной из Канзаса в прекрасную, удивительную страну, где ее ждали яхты, частные самолеты, дворцы. Теперь же, со смертью отца, мечты обратились в прах. «Зато канзасская часть сохранилась, — усмехнулась она. — У меня нет семьи... Есть, — тут же поправила себя Джулия. — У меня два сводных брата и сестра. Они моя семья. Не повидаться ли мне с ними? Хорошая идея? Плохая? Интересно, что мы почувствуем при встрече?»

Принятое решение едва не стоило Джулии жизни.

<hr />

[*] Героиня сериала Леймена Френка Баума «Волшебник страны Оз». В варианте А.Волкова «Волшебник изумрудного города» девочка получила имя Элли.

Глава 12

Собирались незнакомцы. В последний раз они встречались, разговаривали по телефону, переписывались много лет тому назад.

Судья Тайлер Стенфорд прилетел в Бостон на самолете из Чикаго. Кендолл Стенфорд Рено прилетела из Парижа. Марк Рено приехал поездом из Нью-Йорка. Вуди Стенфорд и Пегги прибыли из Хоуб-Саунда на автомобиле.

Наследников известили, что панихида пройдет в Королевской часовне. Улицу у церкви перегородили, полицейские сдерживали толпу зевак, собравшихся поглазеть на знаменитостей. Прибыли вице-президент США, многие сенаторы и конгрессмены, послы и государственные деятели из зарубежных стран, даже из таких далеких, как Турция и Саудовская Аравия. Гарри Стенфорд оставил заметный след на земле, и ни одно из семисот мест в часовне не пустовало.

Тайлер, Вуди с женой, Кендолл с мужем собрались в ризнице. Чувствовали они себя неловко. У них не было ничего общего. Если их что и связывало, то это тело мужчины в катафалке, стоящем у церкви.

— Это мой муж Марк, — нарушила затянувшуюся паузу Кендолл.

— Это моя жена Пегги. Пегги, моя сестра Кендолл, мой брат Тайлер.

Представляемые вежливо здоровались с остальными. Потом они стояли, переглядываясь и изучая друг друга, пока не пришел служка.

— Извините, — прошептал он, — но служба сейчас начнется. Пожалуйста, следуйте за мной.

Служка провел их к оставленной для ближайших родственников первой скамье. Они сели в ожидании начала службы, каждый погруженный в свои мысли.

Возвращение в Бостон Тайлера не радовало. Хорошие воспоминания об этом городе относились лишь к тем временам, когда были живы его мать и Розмари. В одиннадцать лет Тайлер увидел репродукцию знаменитой картины Гойи «Сатурн, пожирающий своего сына». Потом Сатурн всегда ассоциировался у него с отцом.

И теперь, глядя на гроб, внесенный в церковь, в котором лежало тело его отца, Тайлер думал: «Сатурн мертв».

«Я знаю твой грязный секрет».

Священник взошел на знаменитую кафедру часовни.

— Иисус сказал ей: Я есмь воскресение и жизнь; верующий в Меня, если и умрет, оживет; и всякий живущий и верующий в Меня не умрет вовек[*].

---

[*] Иоанн, 11, 25, 26.

Душа у Вуди пела. Перед тем как пойти в церковь, он надышался героином, и наркотик еще действовал. Он искоса глянул на брата, потом на сестру. «Тайлер сильно поправился, — подумал он. — Выглядит совсем как судья. А вот Кендолл такая красотка, но чувствуется, что очень переживает. Неужели из-за смерти отца? Нет. Она ненавидела его не меньше, чем я. — Он посмотрел на жену, сидящую рядом. — Жаль, что я не оказал ее старику. Его бы хватил удар».

— Как отец жалеет детей своих, — вещал священник, — так и Господь Бог жалеет тех, кто боится его. Ибо Он знает, какие мы, Он помнит, что мы — тлен.

Кендолл священника не слушала. Она думала о красном платье. Как-то раз отец позвонил ей в Нью-Йорк.

— Теперь ты у нас знаменитый модельер, не так ли? Что ж, давай посмотрим, каково твое мастерство. В субботу вечером я иду с одной девицей на благотворительный бал. У нее твои размеры. Я хочу, чтобы ты сшила для нее платье.

— К субботе? Я не смогу, папа. Я...

— Сможешь.

И она сшила самое уродливое платье, какое только могла придумать. С большим черным фартуком впереди и ярдами лент и кружев. Форменное чудовище. Она послала платье отцу, и он позвонил ей вновь.

— Платье я получил. Между прочим, моя девушка в субботу занята, так что со мной пойдешь ты и наденешь свое платье.

— Нет!

Последовала грозная фраза:

— Ты не хочешь разочаровать меня, не так ли?

И она пошла, надела это ужасное платье, в котором и провела самый унизительный вечер в своей жизни.

— Ибо мы ни с чем пришли в этот мир и, безусловно, ничего не сможем унести из этого мира с собой. Бог дал, Бог и взял! Да будет благословенно имя Божье!

Пегги Стенфорд сидела тихо, как мышка. Ее потрясло великолепие громадной церкви, все эти элегантно одетые люди. В Бостон она попала впервые, для нее этот город ассоциировался с миром Стенфордов, помпезностью и богатством. Этим людям она не годилась и в подметки. Пегги взяла мужа за руку.

— Вся плоть — это трава, и отсюда вся красота — цветок на лугу... Трава сохнет, цветок увядает, но слово Господа нашего остается вовеки.

Марк думал о шантажирующем письме, которое получила его жена. Тщательно выверенные слова, нейтральный текст. Невозможно определить, кто за ним стоит. Он посмотрел на сидящую рядом Кендолл. Бледную, напряженную. Сколько же она сможет еще выдержать? Он придвинулся к ней.

— ...Милосердию Божьему и Его защите вверяем мы тебя.

Бог благословит и сохранит тебя. Бог обратит к тебе

свое сияющее лицо, и прольется на тебя Его благодать. Бог примет тебя к Себе, дабы успокоилась душа твоя и пребывала в мире сейчас и во веки веков. Аминь.

После окончания панихиды священник объявил: «Похороны будут закрытыми... только для родственников».

Тайлер стоял у гроба и думал о лежащем в нем теле. Прошлым вечером из аэропорта он сразу поехал в похоронное бюро до того, как гроб заколотили: он хотел увидеть отца мертвым.

Вуди наблюдал, как гроб выносят из церкви мимо людей, съехавшихся на похороны со всего света, и улыбался, главное — дать людям то, что им хочется.

Служба у могилы на кладбище Маунт-Обурн в Кембридже заняла лишь несколько минут. Под взглядами родственников гроб с телом Гарри Стенфорда опустили в могилу, закидали его землей.

— Вам нет нужды оставаться здесь дольше, чем вы того хотите, — подвел черту священник.

Вуди кивнул.

— И это правильно. — Действие героина сходило на нет, его начало трясти. — Пора выметаться отсюда.

— И куда мы поедем? — спросил Марк.

Тайлер оглядел стоящих у могилы.

— Мы остановимся в Роуз-Хилл. К нашему приезду все готово. Побудем там до оглашения завещания.

Вскоре лимузины уже везли их в поместье Стенфордов.

В Бостоне строгая социальная иерархия соблюдается неукоснительно. Нувориши живут на авеню Содружества, поднявшиеся по социальной лестнице — на Ньюбюри-стрит. Менее влиятельные семьи, ведущие свой род со времен революции, — на Марлборо-стрит. Бэк-Бей — самый престижный район, но цитаделью богатейших и знатнейших семей Бостона остается Бикон-Хилл. Россыпь викторианских городских домов, особняков, старинных церквей, шикарных магазинов.

Поместье Стенфордов Роуз-Хилл занимало три акра на Бикон-Хилл. Дом, в котором выросли дети, оставил у них неприятные воспоминания. Когда лимузины остановились у парадного входа, пассажиры вылезли из машин и долго смотрели на старые стены.

— Не могу поверить, что отца нет, что он не дожидается нас, — вырвалось у Кендолл.

Вуди усмехнулся.

— Он сейчас слишком занят в аду.

Тайлер глубоко вздохнул.

— Пошли.

Едва они подошли к двери, как та распахнулась и на пороге возник Кларк, дворецкий. В Роуз-Хилл он прослужил больше тридцати лет. Однако и в свои семьдесят с небольшим без труда справлялся со своими обязанностями. Дети выросли у него на глазах, он был живым свидетелем всех скандалов.

Кларк просиял, увидев, кто к ним приехал.

— Добрый день!

Кендолл обняла старика.

— Кларк, как хорошо увидеть тебя вновь.

— Давненько вы не заглядывали к нам, мисс Кендолл.

— Теперь миссис Рено. Это мой муж Марк.

— Добрый день, сэр.

— Моя жена много рассказывала о вас.

— Надеюсь, я не предстал в ее рассказах чудовищем, сэр.

— Наоборот, она помнит о вас только хорошее.

— Благодарю вас, сэр. — Кларк повернулся к Тайлеру. — Добрый день, судья Стенфорд.

— Привет, Кларк.

— Рад видеть вас, сэр.

— Спасибо тебе. Ты прекрасно выглядишь.

— И вы тоже, сэр. Я весьма сожалею о случившемся.

— Благодарю за сочувствие. Но ты сможешь позаботиться о нас?

— Да, сэр. Я уверен, что вы все останетесь довольны приемом.

— Мне отвели мою прежнюю комнату?

Кларк улыбнулся.

— Совершенно верно. — Он посмотрел на Вуди. — Рад видеть вас, мистер Вудро. Я хочу...

Вуди схватил Пегги за руку.

— Пошли. Мне надо освежиться.

Остальные наблюдали, как Вуди тащит Пегги на второй этаж.

Кларк, Тайлер, Кендолл и Марк прошли в огромную гостиную. Взгляд входящего прежде всего останавливался на двух больших шкафах эпохи Людовика XIV. А уж потом замечались стол из золоченого дерева с мраморной столешницей, антикварные кресла и диваны. С высокого потолка свисала бронзовая люстра. Стены украшали потемневшие от времени старинные картины.

Кларк повернулся к Тайлеру.

— Судья Стенфорд, мистер Саймон Фитцджералд просит вас позвонить ему в любое удобное вам время, чтобы договориться о встрече с членами семьи.

— Кто такой Саймон Фитцджералд? — спросил Марк Рено.

— Семейный адвокат, — ответила Кендолл. — Он ведет личные дела отца с незапамятных времен, но мы его никогда не видели.

— Полагаю, он хочет обсудить с нами завещание. — Тайлер оглядел остальных. — Если вы не возражаете, я назначу встречу на завтрашнее утро.

— Очень хорошо, — кивнула Кендолл.

— Шеф-повар готовит обед, — сообщил им Кларк. — Я распоряжусь, чтобы его подали в восемь часов, если вы не возражаете.

— Нас это вполне устраивает, — ответил Тайлер. — Спасибо тебе.

— Ева и Милли покажут вам ваши комнаты.

Тайлер повернулся к сестре и ее мужу.

— Увидимся в восемь.

— С тобой все в порядке? — спросила Пегги мужа, как только они вошли в спальню.

— Естественно, — огрызнулся Вуди. — Оставь меня в покое.

Он стремглав бросился в ванную и захлопнул за собой дверь. Пегги осталась в спальне.

Вуди появился десять минут спустя, улыбаясь во весь рот.

— Привет, крошка.

— Привет.

— Как тебе наш дом?

— Он... такой огромный.

— Просто чудовищный. — Он подошел к кровати, обнял Пегги. — Это моя комната. Стены я увешивал спортивными плакатами. «Медведи», «Кельты», «Красные носки». Я хотел стать спортсменом. Мечтал о славе. В выпускном классе школы я был капитаном футбольной команды. Меня приглашали в шесть колледжей.

— И какой же ты выбрал?

Он покачал головой.

— Седьмой. Отец сказал, будто им хочется, чтобы у них учился Стенфорд, и ничего больше. Они, мол, рассчитывают получить от него деньги. И послал меня в технический колледж, в котором не играли в футбол. — Вуди помолчал. — Я мог бы сражаться...

— Что-что? — переспросила Пегги.

Он повернулся к ней.

— Ты не видела фильм «На набережной»?

— Нет.

— Эту фразу произносит Марлон Брандо. А смысл в том, что жизнь наша не удалась.

— Твой отец, видать, был суровым человеком.

Вуди хохотнул.

— Он бы воспринял эти слова как комплимент. Помнится, еще ребенком я свалился с лошади. Я хотел опять залезть на нее и скакать дальше, но отец не разрешил. «Всадником тебе не быть, — заявил он. — Слишком ты неуклюжий». — Вуди посмотрел на жену. — Вот почему я играю в поло по девятому разряду.

К обеденному столу они вышли одновременно, молча расселись. Они были незнакомцами друг для друга, если что их и связывало, так это тягостные воспоминания детства.

Кендолл огляделась. Французский обеденный стол времен Людовика XV, стулья эпохи Директории. В одном углу французский шкаф. На стенах картины Ватто[*] и Фрагонара[**].

Кендолл повернулась к Тайлеру.

— Я читала о твоем решении по делу Фиорелло. Он заслужил наказание, которое ты ему определил.

— Как это интересно, быть судьей! — воскликнула Пегги.

— Иной раз я готов с вами согласиться.

— Какие вы ведете процессы? — поинтересовался Марк.

— Криминальные. Изнасилования, наркотики, убийства.

Кендолл побледнела, хотела что-то сказать, но Марк схватил ее за руку и крепко сжал, предупреждая, что лучше бы помолчать.

А Тайлер уже смотрел на сестру.

— Ты стала известным модельером.

— Да, — с трудом удалось выдохнуть Кендолл.

— А вы, Марк, чем занимаетесь?

---

[*] Ватто, Антуан (1684—1721), французский живописец и рисовальщик.
[**] Фрагонар, Оноре (1732—1806), французский живописец и график.

— Работаю в брокерском доме.

— А, так вы один из молодых уолл-стритовских миллионеров.

— Не совсем, судья. Я только в начале пути.

Тайлер покивал.

— Тогда вам повезло с женой. Она уже многого добилась.

Кендолл покраснела, прошептала на ухо Марку: «Не обращай внимания. Помни, я тебя люблю».

Действие наркотика начало сказываться на Вуди. Он повернулся к жене.

— Пегги могла бы носить более приличные платья. Но ей без разницы, как она выглядит. Не так ли, мой ангел?

Пегги смутилась, не зная, что ответить.

— Может, тебе будет к лицу наряд официантки? — продолжал Вуди.

— Извините, — Пегги поднялась и умчалась наверх.

Все смотрели на Вуди. Он улыбался.

— Очень уж она чувствительная. Значит, завтра мы обсудим завещание?

— Совершенно верно, — кивнул Тайлер.

— Готов спорить, старикан не оставил нам ни цента.

— Но, если наследство столь велико... — подал голос Марк.

Вуди пренебрежительно фыркнул.

— Вы не знали нашего отца. Полагаю, нам достанутся его старые пиджаки и коробка сигар. Ему нравилось держать нас в узде, напоминая о деньгах. Чего стоила его любимая фраза: «Ты не хочешь разочаровать меня, не так ли?» И мы вели себя как добропорядочные детки, потому что, как вы сказали, у него было очень много денег. Но я уверен, что старик нашел способ забрать их с собой.

— Завтра мы все узнаем, — поставил точку в дискуссии Тайлер.

На следующее утро Саймон Фитцджералд прибыл в Роуз-Хилл в сопровождении Стива Слоуна. Кларк проводил их в библиотеку.

— Я сообщу родственникам о вашем прибытии.

— Благодарю.

Из библиотеки стеклянные двери вели в сад. Вдоль стен, отделанных темными дубовыми панелями, стояли полки с книгами в кожаных переплетах. Удобные кресла, итальянские торшеры. Один угол занимал большой шкаф красного дерева, где хранилась коллекция револьверов, которой очень гордился Гарри Стенфорд. Патроны лежали в нижних ящиках.

— Интересное будет утро, — нарушил молчание Стив. — Посмотрим, как они отреагируют на завещание.

— Ждать осталось недолго, — ответил Саймон Фитцджералд.

Кендолл и Марк прибыли первыми.

— Доброе утро, — поздоровался Фитцджералд. — Я Саймон Фитцджералд. Это мой помощник Стив Слоун.

— Я Кендолл Стенфорд. Мой муж Марк.

Мужчины обменялись рукопожатием.

В библиотеку вошли Вуди и Пегги.

— Вуди, это мистер Фитцджералд и мистер Слоун, — представила адвокатов Кендолл.

Вуди кивнул.

— Привет. Вы принесли деньги с собой?

— Мы всего лишь...

— Я пошутил. Это моя жена, Пегги, — Вуди посмотрел на Стива. — Старик мне что-нибудь оставил или...

Появился Тайлер.

— Доброе утро.

— Судья Стенфорд?

— Да.

— Я Саймон Фитцджералд, а это Стив Слоун, мой помощник. Именно Стив доставил тело вашего отца с Корсики.

Тайлер повернулся к Стиву.

— Премного вам благодарен. Мы так и не знаем, что же произошло на самом деле. Пресса сообщила несколько версий. Его не могли убить?

— Нет. Судя по всему, это несчастный случай. Яхта вашего отца попала в жестокий шторм у берегов Корсики. По словам Дмитрия Камински, телохранителя вашего отца, он стоял на палубной веранде, примыкающей к его каюте, и ветер вырвал у него из руки какие-то бумаги. Ваш отец попытался их схватить, потерял равновесие и упал за борт. Когда нашли тело, он уже захлебнулся.

— Какая ужасная смерть. — По телу Кендолл пробежала дрожь.

— Вы говорили с этим Камински? — спросил Тайлер.

— К сожалению, нет. Ко времени моего прибытия на Корсику он уже покинул остров.

— Капитан яхты советовал вашему отцу не выходить в море, поскольку синоптики дали штормовое предупреждение, — добавил Саймон Фитцджералд, — но он по какой-то причине торопился вернуться домой. Договорился о том, что вертолет с Корсики доставит его в аэропорт, откуда он намеревался вылететь в Бостон. Что-то заставляло его спешить.

— Что именно, вы не знаете? — поинтересовался Тайлер.

— Нет. Я прервал свой отпуск, чтобы встретиться с ним в Роуз-Хилл. Но я не знаю...

— Все это очень интересно, только относится к далекому прошлому, не так ли? — встрял в разговор Вуди. — Давайте поговорим о завещании. Оставил он нам что-нибудь или нет? — он нервно переплел пальцы.

— Почему бы нам не присесть? — предложил Тайлер.

Все сели в кресла. Фитцджералд расположился у стола, лицом к наследникам. Открыв брифкейс, он начал доставать какие-то бумаги.

Вуди просто распирало от нетерпения.

— Ну? Ради Бога, оставил он нам что-нибудь или нет?

— Вуди... — попыталась одернуть его Кендолл.

— Я знаю ответ, — сердито бросил Вуди. — Нам он не оставил ни цента.

Фитцджералд оглядел детей Стенфорда.

— На самом деле все состояние оставлено вам в равных долях.

Стив почувствовал эйфорию, мгновенно охватившую наследников.

Вуди вытаращился на Фитцджералда, открыв рот.

— Что? Вы серьезно? — Он вскочил. — Это фантастика!

— Вы слышали? — обратился он к остальным. — Старый поганец все-таки сломался. — Вуди посмотрел на Саймона Фитцджералда. — И о какой сумме идет речь?

— Точной цифры я назвать не могу. Согласно последним данным, приведенным журналом «Форбс», корпорация «Стенфорд энтерпрайзез» тянет на шесть миллиардов долларов. Большая часть этих денег инвестирована в различные предприятия, но примерно четыреста миллионов приходится на ликвидные активы.

Кендолл слушала как зачарованная. «То есть больше ста миллионов долларов на каждого из нас. Я не могу в это поверить! Я свободна, — подумала она. — Я смогу заплатить и избавлюсь от них навсегда». Она посмотрела на Марка. Ее лицо сияло. Она сжала ему руку.

— Поздравляю, — улыбнулся Марк. Он лучше других знал цену деньгам.

— Как вам известно, — продолжил Саймон Фитцджералд, — девяносто девять процентов акций «Стенфорд энтерпрайзез» принадлежали вашему отцу. Эти акции будут поровну разделены между вами. Теперь, после смерти вашего отца, один процент акций, ранее находившийся в доверительном управлении, переходит судье Стенфорду. Разумеется, придется утрясти кое-какие формальности. Более того, я должен предупредить вас, что возможно появление еще одного наследника.

— Еще одного наследника? — переспросил Тайлер.

— В завещании вашего отца специально оговорено,

что его состояние должно быть поделено поровну между всеми потомками.

На лице Пегги отразилось недоумение.

— Кого... А кто считается потомком?

Ответил ей Тайлер.

— Дети, рожденные от усопшего и усыновленные или удочеренные им законным путем.

Фитцджералд кивнул.

— Совершенно верно. При этом любой ребенок, рожденный от вашего отца вне брака, также считается потомком, и его права в полной мере защищаются законом.

— Да что вы такое говорите? — не выдержал Вуди.

— Я говорю, что на наследство может появиться еще один претендент.

— Кто? — спросила Кендолл.

Саймон Фитцджералд помялся. Как бы сказать об этом тактичнее...

— Вы, несомненно, помните, что достаточно много лет тому назад гувернантка, которая работала у вас, забеременела от вашего отца.

— Розмари Нелсон, — уточнил Тайлер.

— Да. Она родила дочь в больнице святого Иосифа в Милуоки. И назвала ее Джулия.

Комната погрузилась в тяжелое молчание.

— Послушайте! — воскликнул Вуди. — С тех пор прошло двадцать пять лет. Если точно, то двадцать шесть.

— Кто-нибудь знает, где она сейчас? — поинтересовалась Кендолл.

В голове Саймона Фитцджералда зазвучал голос

Гарри Стенфорда: «Она написала мне, что родилась девочка. Что ж, если она думает, будто сможет выжать из меня хоть десятицентовик, то может катиться к чертовой матери».

— Нет, — медленно ответил он. — Никто не знает, где она сейчас.

— Так какого черта мы о ней говорим? — выкрикнул Вуди.

— Я просто хочу, чтобы вы все знали, что она получит право на свою часть наследства, если объявится.

— Не думаю, что мы должны из-за этого волноваться, — уверенно заявил Вуди. — Она, скорее всего, знать не знает, кто ее отец.

Тайлер повернулся к Саймону Фитцджералду.

— Вы сказали, что не знаете точной цифры, которой оценивается состояние отца. Позвольте спросить, почему?

— Потому что мы ведем только личные дела вашего отца. Его корпоративные интересы представляют две другие юридические фирмы. Я уже связался с ними и попросил как можно быстрее подготовить все финансовые декларации.

— И сколько времени им на это потребуется? — спросила Кендолл. В письме говорилось: «В самое ближайшее время нам необходимы 100 тысяч долларов для покрытия текущих расходов».

— Вероятно, два или три месяца.

Марк заметил тревогу, пробежавшую по лицу жены, и обратился к Фитцджералду:

— А нельзя ли ускорить этот процесс?

— Боюсь, что нет, — ответил Стив Слоун. — Завещание должно пройти через суд по делам о наследстве, а сейчас они загружены под завязку.

— Что такое суд по делам о наследстве? — вмешалась Пегги.

— Этот суд проверяет...

— Ей без разницы, что он там проверяет! — оборвал Слоуна Вуди. — Почему мы не можем разделить денежки прямо сейчас?

Тайлер посмотрел на брата.

— Потому что таков закон. Если человек умирает, его завещание поступает в специальный суд. До этого необходимо провести оценку всех активов: недвижимости, акций, наличных, драгоценностей. Составляется подробная опись, которая также поступает в суд. С наследства уплачиваются налоги. Потом подается петиция на разрешение распределить остаток между наследниками.

Вуди усмехнулся.

— Ну и черт с ним. Я ждал сорок лет, чтобы стать миллионером. Смогу подождать и еще месяц-другой.

Саймон Фитцджералд поднялся.

— Основная доля наследства отписана вам, но есть еще мелкие суммы, предназначенные другим людям. Они составляют лишь малую долю состояния мистера Стенфорда. — Он оглядел сидящих. — Если больше вопросов нет...

Тайлер тоже встал.

— Думаю, что нет. Благодарю вас, мистер Фитцджералд, мистер Слоун. Если возникнут какие-нибудь проблемы, мы свяжемся с вами.

Фитцджералд кивнул.

— До свидания, дамы и господа. — Он повернулся и направился к двери.

Стив Слоун последовал за ним. На подъездной дорожке Фитцджералд обернулся к Стиву.

— С родственниками ты познакомился. Что скажешь?

— По-моему, у них скорее праздник, чем траур. Одно меня удивляет, Саймон. Если отец ненавидел их так же, как они ненавидят его, почему он оставил им все состояние?

Саймон Фитцджералд пожал плечами.

— Вот этого мы не узнаем никогда. Может, за этим он и вызвал меня, чтобы переписать все деньги на кого-то еще.

В ту ночь никто из детей Гарри Стенфорда не спал, все они были погружены в свои мысли.

Тайлер. «Это произошло. Действительно произошло! Теперь я могу положить к ногам Ли весь мир. Все, что угодно! Все!»

Кендолл. «Как только получу деньги, я найду способ откупиться от них раз и навсегда. Чтобы больше они ко мне не приставали».

Вуди. «Я куплю собственных пони для поло. Хватит пользоваться чужими! Я поднимусь до десятого разряда! — Он искоса глянул на Пегги, спящую рядом с ним. — А прежде всего отделаюсь от этой дуры. Нет, этого я сделать не смогу».

Вуди вылез из постели и скрылся в ванной. Оттуда он вернулся в наипрекраснейшем настроении.

За завтраком царила атмосфера праздника.

— Полагаю, ночью мы все строили грандиозные планы, — воскликнул Вуди.

Марк пожал плечами.

— Что тут можно планировать? Такие деньги даже представить себе невозможно.

Тайлер оторвался от тарелки.

— Они наверняка изменят нашу жизнь.

Вуди кивнул.

— Этот подонок мог отдать их нам при жизни, чтобы мы и тогда могли насладиться богатством. Нехорошо ненавидеть мертвых, но вот что я должен вам сказать...

— Вуди... — в голосе Кендолл слышался упрек.

В столовую вошел Кларк и остановился с виноватым видом, ожидая, пока его заметят.

— Прошу меня извинить. Приехала некая мисс Джулия Стенфорд.

ДЕНЬ

Глава 13

— Джулия Стенфорд?

Наследники переглянулись, потрясенные до глубины души.

— Никакая она не Джулия! — взорвался Вуди.

— Я предлагаю встретиться с ней в библиотеке, — быстро нашелся Тайлер. Он повернулся к Кларку. — Пожалуйста, пригласите туда эту молодую особу.

Она застыла в дверях, переводя взгляд с одного на другого. Чувствовалось, что ей не по себе.

— Я... Наверное, мне не стоило приезжать!

— Вы чертовски правы! — воскликнул Вуди. — Кто вы, черт бы вас побрал?

— Я Джулия Стенфорд. — От волнения она начала заикаться.

— Нет. Кто вы на самом деле?

Она хотела что-то сказать, затем покачала головой.

— Я... Моя мать — Розмари Нелсон. Гарри Стенфорд был моим отцом.

Дети Стенфорда вновь переглянулись.

— У вас есть доказательства? — спросил Тайлер.

Она шумно сглотнула.

...Вещественных доказательств у меня нет.

— Естественно, нет, — рявкнул Вуди. — Да как вам хватило наглости...

Его прервала Кендолл:

— Вы, конечно, понимаете, что мы потрясены вашим появлением. Если вы говорите правду, тогда вы... наша сводная сестра.

Джулия кивнула.

— Вы Кендолл. — Она повернулась к Тайлеру. — Вы Тайлер. — Посмотрела на Вуди. — Вы Вудро. Но все называют вас Вуди.

— Об этом каждый мог прочитать в журнале «Пипл», — саркастически бросил Вуди.

— Я уверен, вы понимаете всю сложность нашего положения, мисс... э... — Произносить ее фамилию Тайлер не стал. — Не получив доказательств, мы не можем принять вас как...

— Я понимаю. — Она нервно огляделась. — Не знаю, что заставило меня приехать.

— Знаете, — усмехнулся Вуди. — Причина очевидна — деньги.

— Деньги меня не интересуют, — негодующе ответила она. — По правде говоря... Я приехала в надежде обрести семью.

Кендолл пристально смотрела на нее.

— А где ваша мать?

— Она умерла. Когда я прочитала о смерти моего отца...

— Вы решили разыскать нас, — насмешливо закончил Вуди.

— Вы говорите, у вас нет признаваемых законом

доказательств, четко указывающих на то, что вы дочь Гарри Стенфорда? — спросил Тайлер.

— Признаваемых законом? Я... Полагаю, что нет. Я как-то об этом не думала. Но есть факты, которые я могла узнать только от матери.

— Например? — бросил Марк.

Джулия задумалась.

— Я помню, что моя мать рассказывала мне о теплице за домом. Она любила растения и цветы и проводила там...

— Фотографии этой теплицы печатались в десятке журналов, — оборвал ее Вуди.

— Что еще рассказывала вам мать? — подал голос Тайлер.

— Много чего! Мама любила говорить о вас и о жизни в вашем доме. — Она помолчала. — Как-то раз, когда вы были совсем маленькие, она взяла вас покататься на лодке. Один из вас едва не свалился в воду. Кто, не помню.

Вуди и Кендолл посмотрели на Тайлера.

— Я, — признал он.

— Она взяла вас с собой, когда пошла за покупками в «Файлин». Один из вас потерялся, и была ужасная паника.

— В тот день потерялась я, — вырвалось у Кендолл.

— Еще? Что еще? — наседал Тайлер.

— Мама взяла вас в «Устричный дом», где вы впервые попробовали устрицы. Потом вас тошнило.

— Я это помню.

Они переглянулись. В который уж раз.

Джулия повернулась к Вуди.

— Вы с мамой отправились на военно-морскую базу в Чарлзтауне, чтобы посмотреть на авианосец «Конституция». Вы не хотели уходить. Ей пришлось тащить вас силком. — Она посмотрела на Кендолл. — В Городском саду вы однажды рвали цветы на клумбах. Вас чуть не арестовали.

Кендолл кивнула.

— Все так.

Они слушали как зачарованные, не отрывая глаз от Джулии.

— Однажды мама повела вас в Палеонтологический музей. Вы испугались скелетов мастодонта и морского змея.

— Никто из нас не спал в ту ночь, — тихо произнесла Кендолл.

Джулия посмотрела на Вуди.

— Как-то на Рождество мама повела вас на каток. Вы упали и вышибли зуб. Когда вам было семь лет, вы свалились с дерева и так сильно поранили ногу, что пришлось накладывать швы. Остался шрам.

— Остался, — с неохотой признал Вуди.

Она повернулась к остальным.

— Одного из вас укусила собака, кого точно, я забыла. Маме пришлось отвезти этого ребенка в пункт срочной медицинской помощи в Центральной больнице Массачусетса.

Тайлер кивнул.

— Мне делали уколы против бешенства.

Теперь слова лились потоком.

— Вуди, вы убежали из дома, когда вам было восемь. Хотели добраться до Голливуда и стать актером. Ваш отец пришел в ярость и отправил вас в спальню без обеда. Моя мать тайком принесла вам еды.

Вуди молча кивнул.

— Я... не знаю, что мне еще сказать. Я... — Тут ее осенило. — У меня с собой фотография. — Она раскрыла сумочку, достала снимок и протянула Кендолл.

Тайлер и Вуди подошли, чтобы взглянуть на фото. Трое детей рядом с симпатичной женщиной в униформе гувернантки.

— Ее дала мне мама.

— Оставила она вам что-нибудь еще? — спросил Тайлер.

Джулия покачала головой.

— Нет, к сожалению. Она не хотела, чтобы какие-то вещи в доме напоминали ей о Гарри Стенфорде.

— Разумеется, кроме вас, — добавил Вуди.

С воинственным видом она повернулась к нему.

— Мне все равно, верите вы моим словам или нет. Вы просто не понимаете... Я... Я так надеялась... — У нее перехватило дыхание.

— Как уже сказала моя сестра, — прервал молчание Тайлер, — для нас ваше появление — настоящий шок. Я хочу сказать... приходит совершенно незнакомый человек и заявляет, что он член семьи... Надеюсь, вы понимаете всю сложность нашего положения. Я думаю, нам нужно время, чтобы обсудить создавшуюся ситуацию.

— Разумеется, понимаю.

— Где вы остановились?

— В «Тремонт-Хаус».

— Почему бы вам не вернуться туда? Вас отвезут

на машине. В самое ближайшее время мы с вами свяжемся.

Она кивнула.

— Хорошо. — Ее взгляд задержался на каждом. — Что бы вы обо мне ни думали, вы моя семья.

— Я провожу вас, — вызвалась Кендолл.

Джулия улыбнулась.

— Не надо. Дорогу я найду. У меня такое чувство, будто это мой родной дом.

Под их взглядами она вышла из библиотеки.

— Что ж! — Кендолл шумно выдохнула. — Похоже, у нас появилась сестра.

— Я в это не верю, — фыркнул Вуди.

— Мне кажется... — подал голос Марк.

Все заговорили одновременно.

Тайлер поднял руку.

— Так мы ни к чему не придем. Попробуем подойти к проблеме объективно. В некотором роде эта женщина — подсудимая, а мы — присяжные. Именно нам решать, говорит она правду или лжет. В суде присяжных действует принцип единогласия. То есть мы все должны прийти к общему мнению.

Вуди кивнул.

— Хорошо.

— Тогда приступим к первому голосованию, — продолжил Тайлер. — Я считаю, что эта женщина — мошенница.

— Мошенница? Как такое может быть? — не согласилась Кендолл. — Все эти подробности она могла узнать только у своей матери.

Тайлер повернулся к ней.

— Кендолл, сколько слуг работало в доме, когда мы были детьми?

Кендолл недоуменно посмотрела на него.

— А что?

— Десятки, не правда ли? И некоторые могли знать все то, о чем рассказала нам эта юная дама. Служанки, шоферы, садовники, повара. И фотографию она могла получить от кого угодно.

— Ты хочешь сказать... ее проталкивают в наследники?

— Вполне возможно. Не забывай, что речь идет об очень больших деньгах.

— Она говорит, что деньги ее не интересуют, — напомнил Марк.

Вуди вновь кивнул.

— Говорит, это точно. — Он повернулся к Тайлеру. — Но как мы докажем, что она не та, за кого себя выдает? У нас нет возможности...

— Такая возможность есть, — прервал его Тайлер.

Все взгляды скрестились на нем.

— И какова же она? — спросил Марк.

— Завтра я дам вам ответ.

— Вы говорите, что Джулия Стенфорд объявилась после стольких лет? — недоверчиво произнес Саймон Фитцджералд.

— Объявилась женщина, которая утверждает, что она Джулия Стенфорд, — поправил его Тайлер.

— И вы ей не верите? — поинтересовался Стив.

— Абсолютно не верим. В качестве доказательств истинности своих слов она предложила случаи из нашего детства, о которых известно как минимум десятку бывших слуг, и старую фотографию, на которой изображены мы и Розмари Нелсон. Это ни о чем не говорит. Она может быть в сговоре с кем-то из слуг. Я намерен доказать, что она мошенница.

Стив нахмурился.

— И как же вы собираетесь это сделать?

— Просто. Проверкой ДНК.

На лице Стива Слоуна отразилось удивление.

— Для этого придется эксгумировать тело вашего отца.

— Да. — Тайлер повернулся к Саймону Фитцджералду. — Могут возникнуть какие-то сложности?

— При сложившихся обстоятельствах я, скорее всего, получу ордер на эксгумацию. Эта женщина согласится на проверку?

— Я ее еще не спрашивал. Но отказ будет означать, что она боится результатов. — Тайлер помолчал. — Должен признать, что затевать все это мне не хочется. Но я думаю, это единственный способ установить истину.

Фитцджералд на мгновение задумался.

— Очень хорошо. — Он повернулся к Стиву. — Ты этим займешься?

— Разумеется. — Стив посмотрел на Тайлера. — Вы, вероятно, знакомы с процедурой. Ближайший родственник, в вашем случае — любой из детей усопшего, подает заявление в управление коронера* с просьбой разрешить эксгумацию тела. В заявлении указывается

---

* Следователь, специальной функцией которого является расследование случаев насильственной или внезапной смерти.

причина, побудившая вас к проведению эксгумации. При положительном решении управление коронера уведомляет похоронное бюро и разрешает выкопать тело. При эксгумации должен присутствовать представитель коронера.

— Сколько это займет времени? — задал вопрос Тайлер.

— Три или четыре дня уйдет на получение разрешения. Сегодня у нас среда. Мы сможем провести эксгумацию в понедельник.

— Хорошо. — Тайлер помялся. — Нам понадобится эксперт по проверке ДНК, к мнению которого прислушается суд, если до этого дойдет дело. Надеюсь, вы можете порекомендовать такого специалиста.

— Могу, — кивнул Стив. — Его зовут Перри Уингер. Живет в Бостоне. Неоднократно приглашался в качестве эксперта различными судами по всей стране. Я ему позвоню.

— Буду вам очень признателен. Чем скорее мы с этим разберемся, тем лучше.

На следующее утро, ровно в десять, Тайлер вошел в библиотеку Роуз-Хилл, где его уже ждали Вуди, Пегги, Кендолл и Марк.

— Я хочу представить вам Перри Уингера.

— Кто он? — полюбопытствовал Вуди.

— Эксперт по проверке ДНК.

Кендолл повернулась к Тайлеру.

— А с чего это нам понадобился эксперт по проверке ДНК?

— Чтобы доказать, что женщина, заявившаяся к нам вчера, мошенница. Я считаю необходимым наказать ее.

— Так ты хочешь вырыть старика? — спросил Вуди.

— Совершенно верно. Наши адвокаты сейчас получают ордер на эксгумацию. Если эта женщина — наша сводная сестра, проверка ДНК это подтвердит. Если нет, ДНК покажет и это.

— Боюсь, я что-то здесь не понимаю, — подал голос Марк.

Перри Уингер откашлялся.

— Попросту говоря, дезоксирибонуклеиновая кислота — молекула наследственности. ДНК содержит уникальный генетический код индивидуума. Ее можно выделить из следов крови, спермы, слюны, корней волос, даже из кости. ДНК можно определить в течение пятидесяти лет после смерти человека.

— Понятно, — кивнул Марк. — Значит, это действительно просто.

Перри Уингер нахмурился.

— Поверьте мне, нет. Есть два способа проверки ДНК. PCR-тест, на получение результатов которого требуется три дня, и более сложный RFLP-тест, на который уходит от шести до восьми недель. Для наших целей вполне достаточно PCR-теста.

— Как проводится проверка? — спросила Кендолл.

— Она состоит из нескольких этапов. На первом берется образец ткани и ДНК делится на фрагменты. Фрагменты сортируют по длине, помещая их в гель и пропуская через него электрический ток. ДНК, отрицательно заряженная, движется к положительному полюсу, и через несколько часов фрагменты сами выстраиваются по длине. — Ему явно нравилось читать лекции. — Щелочные реактивы используются для разделения фрагментов, затем фрагменты переносятся на нейлоновое полотно, помещенное в раствор, и радиоактивные зонды...

Глаза слушателей начали туманиться.

— Насколько точны результаты проверки? — прервал эксперта Вуди.

— Проверка обеспечивает стопроцентную точность в случае, если мужчина не является отцом. Если результаты проверки положительные, точность составляет девяносто девять и девять десятых процента.

Вуди повернулся к брату.

— Тайлер, ты у нас судья. Допустим, она действительно дочь Гарри Стенфорда. Ее мать и наш отец официально не оформляли своих отношений. С какой стати она претендует на долю наследства?

— В том случае, если будет установлено, что Гарри — ее отец, — объяснил Тайлер, — по закону она имеет полное право на равную с нами долю наследства.

— Тогда давайте скорее проверим эту чертову ДНК и покажем всем, что она мошенница!

Тайлер, Вуди, Кендолл, Марк и Джулия сидели за столиком в ресторане «Тремонт-Хаус».

Пегги осталась в Роуз-Хилл.

— От этих разговоров о вырывании трупа у меня мурашки бегут по коже, — заявила она.

Теперь все смотрели на женщину, называющую себя Джулия Стенфорд.

— Я не понимаю, чего вы от меня хотите.

— Все просто, — ответил ей Тайлер. — Доктор возьмет у вас образец кожи, чтобы сравнить его с кожей нашего отца. Совпадение ДНК докажет, что вы действительно его дочь. С другой стороны, если вы не согласны на проверку.

— Я... не нравится мне все это...

— Почему? — вмешался Вуди.

— Не знаю. — Она содрогнулась. — Вырывать тело моего отца, чтобы...

— ...чтобы доказать, что вы его дочь.

Она переводила взгляд с одного лица на другое.

— Как бы я хотела...

— Что?

— Другого способа убедить вас, что я его дочь, нет?

— Нет, — кивнул Тайлер. — Только проверка ДНК.

Последовало долгое молчание.

— Хорошо. Я согласна.

Получить ордер на эксгумацию оказалось достаточно сложно. Саймону Фитцджералду пришлось лично обращаться к коронеру.

— Нет, — упирался тот. — Ради Бога, Саймон! Ты же знаешь, какая поднимется вонь. Мы имеем дело не с каким-то никому не известным типом. Речь идет о Гарри Стенфорде! Если об этом прознают, можешь представить себе, какой праздник будет у прессы!

— Марвин, дело очень важное. На карту поставлены многие миллионы долларов, поэтому постарайся, чтобы утечек не было.

— Нет ли другого способа...

— К сожалению, нет. Женщина стоит на своем.

— А семья ей не верит.

— Нет.

— Ты думаешь, она мошенница, Саймон?

— Откровенно говоря, не знаю. Но мое мнение значения не имеет. Как и мнение любого другого человека. Суд потребует доказательств, так что без проверки ДНК не обойтись.

Коронер покачал головой.

— Я знал Гарри Стенфорда. Ему бы это очень не понравилось. Не следовало бы мне...

— Но ты выдашь разрешение.

Коронер вздохнул.

— Похоже на то. Могу я попросить тебя об одном одолжении?

— Разумеется.

— Постарайся, чтобы все было по-тихому. Без прессы.

— Даю тебе слово. Секретность будет обеспечена. Я поставлю в известность только семью.

— И когда ты хочешь это сделать?

— Хотелось бы в понедельник.

Коронер вновь вздохнул.

— Хорошо. Я позвоню в похоронное бюро. Ты у меня в долгу, Саймон.

— Будь уверен, я этого не забуду.

В понедельник, в девять утра, часть кладбища Маунт-Обурн, где находилась могила Гарри Стенфорда, закрылась «по техническим причинам». На территорию никого не допускали. Вуди, Пегги, Тайлер, Кендолл, Марк, Джулия, Саймон Фитцджералд, Стив Слоун и доктор Коллинз, представитель управления коронера, стояли у могилы, наблюдая, как четверо кладбищенских рабочих поднимают гроб Гарри Стенфорда. Вместе с ними ожидал вскрытия гроба и Перри Уингер.

Когда гроб подняли на уровень земли, бригадир повернулся к стоящим у могилы.

— Снимать крышку прямо сейчас?

— Да, пожалуйста, — ответил Фитцджералд и посмотрел на Перри Уингера. — Сколько вам потребуется времени?

— Не больше минуты. Всего-то надо взять соскоб кожи для анализа.

— Хорошо. — Фитцджералд кивнул бригадиру. — Приступайте.

Бригадир и рабочие начали разгерметизировать гроб.

— Я не хочу этого видеть, — воскликнула Кендолл. — Нужно ли все это?

— Да! — ответил ей Вуди. — Нужно.

Они наблюдали, как рабочие медленно подняли крышку гроба, отнесли в сторону. Потом их глаза начали выкатываться из орбит.

— Бог мой! — вырвалось у Кендолл.

Что еще могла она сказать, увидев пустой гроб?

Глава 14

В Роуз-Хилл Тайлер положил трубку на рычаг.

— Фитцджералд говорит, что пресса ничего не узнает. Кладбищу такая реклама не нужна. Коронер приказал доктору Коллинзу держать язык за зубами. Можно доверять и Перри Уингеру.

Вуди словно не слышал его слов.

— Мне непонятно, как эта сука сумела такое провернуть! — воскликнул он. — Но так просто с рук ей это не сойдет! — Он обвел остальных горящим взглядом. — А вы, наверное, думаете, что это подстроила не она?

Тайлер вздохнул.

— Боюсь, я должен согласиться с тобой, Вуди. Другим вроде бы ни к чему похищать тело. Эта женщина умна и изобретательна. Очевидно, работает она не одна. И я не знаю, кто нам противостоит.

— Что же теперь делать? — спросила Кендолл.

Тайлер пожал плечами.

— Откровенно говоря, не знаю. А хотелось бы знать. Думаю, она планирует обратиться в суд и оспорить завещание.

— У нее есть шанс выиграть дело? — скромно спросила Пегги.

— К сожалению, да. Говорит она очень убедительно. Ей поверили даже некоторые из нас.

— Но ведь что-то мы можем сделать? — взорвался Марк. — Давайте обратимся в полицию!

— Фитцджералд говорит, что полиция уже расследует исчезновение тела, но пока не удалось найти ни одной ниточки, за которую можно было бы уцепиться. Более того, полиция не хочет огласки, иначе их забросают покойниками.

— Мы можем попросить их прощупать эту паскуду! Тайлер покачал головой.

— Полиция такими делами не занимается. Это частная проб... — Он замолчал, словно его осенила внезапная мысль. — Знаете...

— Что?

— Мы можем нанять частного детектива и постараться разоблачить ее.

— Неплохая идея. У тебя есть кто-нибудь на примете?

— Здесь нет. Но мы можем попросить Фитцджералда порекомендовать нам кого-нибудь. Или... — Он помялся. — Я никогда с ним не встречался, но слышал об одном частном детективе, услугами которого часто пользуется прокуратура Чикаго. У него безупречная репутация.

— Так давайте узнаем, сможем ли мы его нанять, — подал голос Марк.

Тайлер оглядел остальных.

— Решение должно быть общим.

— А что мы теряем? — пожала плечами Кендолл.

— Стоить он будет недешево, — предупредил Тайлер

Вуди фыркнул.

— Недешево! Речь идет о миллионах долларов.

Тайлер кивнул.

— Разумеется. Ты прав.

— Как его зовут?

Тайлер нахмурился.

— Никак не вспомню. Симпсон... Симпсонс... Нет. Фамилия у него похожая, но другая. Я могу позвонить в прокуратуру Чикаго.

Они наблюдали, как Тайлер снимает трубку, набирает номер. Две минуты спустя он уже говорил с заместителем окружного прокурора.

— Это судья Тайлер Стенфорд. Как я понимаю, ваша прокуратура время от времени обращается к одному частному детективу. Фамилию я точно не знаю, вроде бы Симмонз или...

— А, вы, наверное, имеете в виду Френка Тиммонза, — ответили ему.

— Тиммонз! Да, конечно. — Тайлер окинул взглядом остальных, улыбнулся. — Не могли бы вы дать мне номер его телефона, чтобы я непосредственно связался с ним?

Записав номер, Тайлер положил трубку на рычаг и повернулся к сидящим в комнате.

— Теперь, если у вас нет возражений, я звоню ему.

Все согласно кивнули.

На следующее утро Кларк вошел в гостиную, где собрались наследники.

— Прибыл мистер Тиммонз.

Перед ними предстал мужчина лет сорока, с бледным лицом и фигурой боксера. Сломанный нос, блестящие глаза, пронзительный взгляд. Он поочередно посмотрел на Тайлера, Марка, Вуди.

— Судья Стенфорд? — В голосе вошедшего слышались вопросительные нотки.

Тайлер кивнул.

— Я судья Стенфорд.

— Френк Тиммонз, — представился мужчина.

— Пожалуйста, присядьте, мистер Тиммонз.

— Благодарю вас. — Он сел. — Мне звонили вы, не так ли?

— Да.

— Честно говоря, я не уверен, что смогу как-то вам помочь. Я никоим образом не связан с местными правоохранительными учреждениями.

— Мы обращаемся к вам по сугубо частному вопросу, — ответил Тайлер. — Мы хотим, чтобы вы предоставили нам информацию о прошлом одной молодой женщины.

— По телефону вы сказали, что она объявила себя вашей сводной сестрой, а проверка ДНК невозможна.

— Совершенно верно.

Тиммонз оглядел присутствующих.

— И вы не верите, что она ваша сводная сестра?

Последовала неловкая пауза.

— Не верим, — подтвердил Тайлер. — С другой стороны, она, возможно, говорит правду. Мы хотим нанять вас, чтобы вы представили нам убедительные доказательства, не оставляющие сомнений в том, что она или лжет, или говорит правду. Нас устроит любой вариант.

— Разумное решение. Мои услуги обойдутся вам в тысячу долларов в день плюс расходы.

— Тысячу... — начал Тайлер.

— Мы заплатим, — оборвал его Вуди.

— Мне потребуется вся имеющаяся у вас информация об этой женщине.

— Но мы ничего о ней не знаем, — ответила Кендолл.

— Доказательств она не представила, — добавил Тайлер. — Рассказывала разные истории из нашего детства, вроде бы известные ей со слов матери, и...

Детектив поднял руку.

— Подождите. Кто ее мать?

— Если она та, за кого себя выдает, ее мать служила у нас гувернанткой и звали ее Розмари Нелсон.

— Что с ней стало?

Братья и сестра переглянулись. Заговорил Вуди.

— У нее был роман с нашим отцом. Она забеременела, убежала и родила дочь. — Он пожал плечами. — Она исчезла.

— Ясно. Женщина заявляет, что она та самая дочь?

— Совершенно верно.

— Да, вам известно не так уж много. — Тиммонз посидел, глубоко задумавшись, и затем вскинул голову. — Ладно. Постараюсь сделать все, что смогу.

— Именно об этом мы вас и просим, — заверил его Тайлер.

Первым делом Тиммонз отправился в Публичную библиотеку Бостона и в отделе микрофильмирования прочел все материалы о скандале двадцатишестилетней давности, связанном с Гарри Стенфордом. Материалов этих вполне хватило бы на роман.

Из библиотеки он поехал к Саймону Фитцджералду.

— Меня зовут Френк Тиммонз. Я...

— Я знаю, кто вы, мистер Тиммонз. Судья Стенфорд просил оказывать вам всяческое содействие. Чем я могу вам помочь?

— Я хочу найти следы незаконнорожденной дочери Гарри Стенфорда. Ей сейчас должно быть около двадцати шести, не так ли?

— Да. Она родилась 9 августа 1969 года в больнице святого Иосифа в Милуоки, штат Висконсин. Мать назвала ее Джулией. — Адвокат пожал плечами. — Они исчезли. Боюсь, больше мне сказать вам нечего.

— Это уже что-то, — ответил детектив. — Уже что-то.

Миссис Дохерти, суперинтендент больницы святого Иосифа, седовласая женщина лет шестидесяти, рассказала ему все, что знала.

— Да, разумеется, я помню. Как не помнить. Жуткий был скандал. Пресса подняла такую шумиху. Здешние репортеры прознали, что она в нашей больнице, и не давали ей прохода.

— А куда она уехала с ребенком?

— Не знаю. Адреса она не оставила.

— Она полностью заплатила по счету до выхода из больницы, миссис Дохерти?

— Честно говоря... нет.

— Как вы это запомнили?

— История больно уж грустная. Я помню, как она сидела в этом самом кресле и говорила, что сможет оплатить только часть счета, но обещала прислать остальное по почте. Разумеется, больничные инструкции такое запрещают, но я пожалела ее, роды у нее были очень тяжелые, и согласилась.

— И она действительно прислала вам деньги?

— Конечно. Через два месяца. Теперь я вспоминаю. Она где-то получила место секретаря.

— Вы, часом, не помните, где именно?

— Нет. Господи, прошло ведь больше двадцати пяти лет, мистер Тиммонз.

— Миссис Дохерти, карточки пациентов хранятся в архиве?

— Разумеется. — Ее брови взлетели вверх. — Вы хотите, чтобы я нашла ее карточку?

Он улыбнулся.

— Если вас это не затруднит.

— Розмари от этого будет польза?

— Еще какая.

— Тогда попрошу меня подождать. — Миссис Дохерти вышла из кабинета.

Вернулась она через пятнадцать минут с листком бумаги.

— Вот. Розмари Нелсон. Обратный адрес: «Элит тайпинг сервис». Омаха, штат Небраска.

«Элит тайпинг сервис» возглавлял мистер Отто Бродерик, подтянутый мужчина лет шестидесяти.

— У нас так много временных сотрудников, — запротестовал он. — Как я могу запомнить человека, который работал здесь столько лет назад.

— Это особый случай. Одинокая женщина лет двадцати семи, болезненного вида. Она только что родила ребенка и...

— Розмари!

— Совершенно верно. Почему вы ее запомнили?

— По ассоциации, мистер Тиммонз. Вы знаете, что такое мнемоника*?

— Да.

— Ее я и использую. Ассоциирую слова. Был такой фильм «Ребенок Розмари». Поэтому, когда пришла Розмари и сказала, что у нее ребенок, я сложил одно с другим и...

— Сколько времени проработала у вас Розмари Нелсон?

— Полагаю, с год. А потом журналисты выяснили, кто она, и уже не оставляли ее в покое. Ей пришлось уехать из города глубокой ночью, чтобы отвязаться от них.

— Мистер Бродерик, как, по-вашему, куда могла поехать Розмари Нелсон?

— Я думаю, во Флориду. Она хотела перебраться в более теплые края. Я порекомендовал ее одному агентству.

— Вас не затруднит назвать мне это агентство?

— Нет проблем. «Гейл эйдженси». Я его запомнил по ассоциации с сильными бурями**, которые каждый год проносятся над Флоридой.

---

* Совокупность приемов, имеющих целью облегчить запоминание возможно большего числа сведений, фактов; основана главным образом на законах ассоциации.
** Gale — шторм, буря (*англ.*).

Через десять дней после первой встречи с семьей Стенфорд Френк Тиммонз возвратился в Бостон. Позвонил он заранее, так что родственники Гарри Стенфорда уже ждали его, собравшись в гостиной Роуз-Хилл.

— Если я вас правильно понял, у вас есть для нас новости? — обратился Тайлер к Тиммонзу.

— Совершенно верно. — Тиммонз открыл брифкейс, достал какие-то бумаги. — Интересное получилось дело. Поначалу...

— Не надо рассказывать о ваших изысканиях, — прервал его Вуди. — Мошенница она или нет?

Тиммонз повернулся к нему.

— Если вы не возражаете, мистер Стенфорд, я все изложу, как считаю нужным.

Тайлер бросил на Вуди короткий взгляд, призванный предотвратить взрыв.

— Это справедливо. Пожалуйста, продолжайте.

Они наблюдали, как Тиммонз сверяется со своими записями.

— Гувернантка Стенфордов, Розмари Нелсон, родила девочку от Гарри Стенфорда. Она увезла младенца в Омаху, где поступила на работу в «Элит тайпинг сервис». Ее работодатель сказал мне, что ей не нравился холодный климат.

Далее они с дочерью оказались во Флориде, где Розмари работала в «Гейл эйдженси». Они часто переезжали с места на место. Я проследил их путь до Сан-Франциско, где они жили десять лет тому назад. На этом их след оборвался.

— Это все, Тиммонз? — пожелал знать Вуди. — Вы

ничего не знаете о том, что с ними сталось в последние десять лет?

— Не совсем. — Тиммонз вытащил из брифкейса квадратную карточку из плотной бумаги. — Дочь Розмари Джулия в семнадцать лет подала заявление на получение водительского удостоверения.

— И что из этого? — осведомился Марк.

— В штате Калифорния у водителей снимают отпечатки пальцев. — Тиммонз поднял бумажный квадрат. — Вот отпечатки пальцев истинной Джулии Стенфорд.

— Понятно! — воскликнул Тайлер. — Если они совпадут...

— Значит, она наша сестра, — закончил за него Вуди.

Тиммонз кивнул.

— Совершенно верно. Я принес с собой портативный набор для снятия отпечатков пальцев на случай, если вы захотите сверить их прямо сейчас. Она здесь?

— В местном отеле, — ответил Тайлер. — Я говорил ней каждое утро, убеждал не уезжать до того, как мы решим эту проблему.

— Теперь мы можем ее решить! — воскликнул Вуди. — Поехали!

Полчаса спустя они входили в номер отеля «Тремонт-Хаус». Джулия паковала чемодан.

— Куда вы собрались? — спросила Кендолл.

Джулия повернулась к ним.

— Домой. Напрасно я приезжала.

— Вы же не можете винить нас за то... — начал Тайлер.

174

Джулия метнула в него свирепый взгляд.

— С первой же минуты я вижу одну подозрительность. Вы думаете, я приехала, чтобы отнять у вас часть денег? Нет. Я приехала, потому что хотела обрести семью. Я... Да ладно. — Она вновь занялась чемоданом.

— Это Френк Тиммонз, — нарушил молчание Тайлер. — Частный детектив.

Джулия подняла голову.

— И что? Я арестована?

— Нет, мадам, — ответил Тиммонз. — Джулия Стенфорд в семнадцать лет получила в Сан-Франциско водительское удостоверение.

Она выпрямилась.

— Правильно, я его получила. Что в этом противозаконного?

— Ничего, мадам. Дело в том...

— Дело в том, — вмешался Тайлер, — что при получении водительского удостоверения снимаются отпечатки пальцев.

Она переводила взгляд с одного лица на другое.

— Я не понимаю. При чем...

— Мы хотим сверить отпечатки пальцев из архива калифорнийской дорожной полиции с вашими, — пояснил Вуди.

Джулия поджала губы.

— Нет! Я на это не пойду!

— Вы хотите сказать, что не позволите снять у вас отпечатки пальцев?

— Совершенно верно.

— Но почему? — удивился Марк.

Джулия застыла.

— Потому что вы выставляете меня какой-то преступницей. С меня довольно! Оставьте меня одну!

— Это ваш шанс доказать, что вы действительно Джулия Стенфорд, — вмешалась Кендолл. — Мы тоже очень волнуемся. И хотим раз и навсегда решить этот вопрос.

Джулия долго молчала и наконец тяжело вздохнула.

— Хорошо. Давайте с этим покончим.

— Мистер Тиммонз, — повернулся к детективу Тайлер.

— Одну минуту. — Тот быстренько разложил на столе все необходимое, раскрыл чернильную подушечку. — Подойдите, пожалуйста, сюда, — обратился он к Джулии.

Остальные наблюдали, как она приближается к столу. Тиммонз взял руку Джулии, аккуратно, один за другим, окрасил пальцы чернилами. Потом приложил их к белому бумажному квадрату.

— Вот так. Получилось неплохо, не правда ли?

Рядом он положил «пальчики», привезенные из Калифорнии.

Все сгрудились у стола, разглядывая два комплекта отпечатков пальцев. Абсолютно идентичных.

Первым голос прорезался у Вуди.

— Они... одинаковые.

Кендолл повернулась к Джулии.

— Так вы действительно наша сестра?

Джулия улыбалась сквозь слезы.

— Именно об этом я вам все время твердила.

Все заговорили разом.

— Это невероятно!

— После стольких лет...

— Почему твоя мать не вернулась?..

— Извини, что мы встретили тебя так неласково...
Ее улыбка озарила комнату.

— Ерунда. Теперь все будет хорошо.

Вуди поднял квадрат белой бумаги с отпечатками пальцев Джулии, долго смотрел на него.

— Мой Бог! Эта бумажка стоит миллиард долларов. — Он положил квадрат в карман. — Я повешу ее на стену.

Тайлер оглядел всю компанию.

— Пожалуй, это стоит отметить. Я предлагаю вернуться в Роуз-Хилл. — Он улыбнулся Джулии. — Мы устроим тебе торжественную встречу. Выписывайся из отеля, и едем.

— Похоже, сказка стала явью. — Глаза Джулии ярко сверкали. — Наконец-то я обрела семью!

Через полчаса они приехали в Роуз-Хилл, и Джулию проводили в ее комнату. Остальные остались внизу: им было о чем поговорить.

— Должно быть, у нее такое чувство, словно она прошла через застенки инквизиции, — промурлыкал Тайлер.

— Так и было, — поддакнула Пегги. — Не понимаю, как она все это выдержала.

— Интересно, сможет ли она привыкнуть к новой жизни, — заметила Кендолл.

— К новой жизни придется привыкать нам всем, — поправил ее Вуди. — С шампанским и икрой.

Тайлер встал.

— Я, например, рад, что мы нашли однозначный ответ на вопрос, который мучил нас всех. Поднимусь наверх, спрошу, не нужно ли ей чего.

Подойдя к двери, он постучал.

— Джулия?

— Открыто. Можно войти.

Тайлер постоял на пороге, они молча смотрели друг на друга. Потом он вошел, плотно закрыл за собой дверь, протянул к ней руки, и его губы медленно разошлись в улыбке.

— Мы справились, Марго! Справились!

НОЧЬ

Глава 15

Он разрабатывал комбинацию точно так же, как гроссмейстер готовит неотразимую атаку. Только в его партии победа приносила самые дорогие призовые в истории — миллиарды долларов. И он победил! До чего же приятно ощущать собственное могущество. «Наверное, и ты, отец, испытывал то же самое при подписании крупной сделки, — думал Тайлер. — Что ж, таких сделок ты не проворачивал. Я спланировал преступление века и вышел сухим из воды!»

В определенном смысле толчком ко всему послужил Ли. Прекрасный, несравненный Ли. Самой дорогой для него человек. Они встретились в «Берлине», баре для геев в западной части Белмонт-авеню. Тайлеру еще не доводилось видеть такого красавца. Высокого, мускулистого, светловолосого.

Их встреча началась со стандартной фразы: «Могу я предложить вам что-нибудь выпить?»

Ли оглядел его и кивнул.

— Будьте так любезны.

После второго бокала Тайлер спросил:

— А не продолжить ли нам у меня?

Ли улыбнулся.

— Я стою дорого.

— Сколько?

— Пятьсот долларов за ночь.

Тайлер не колебался ни секунды.

— Пошли.

Они провели ночь в доме Тайлера. Ли оказался нежным, чувственным, заботливым. Такой близости с другим человеческим существом Тайлер не испытывал никогда. Его захлестнули эмоции, о существовании которых он даже не подозревал. К утру он без памяти влюбился в Ли.

Утром, готовя завтрак, Тайлер спросил:

— А какие у тебя планы на вечер?

Ли удивленно посмотрел на него.

— Извини. Сегодня у меня свидание.

Тайлера словно со всего маху ударили в солнечное сплетение.

— Но, Ли, я думал, что мы с тобой...

— Тайлер, я, между прочим, товар дорогой. И иду к тому, кто предлагает самую высокую цену. Ты мне нравишься, но, боюсь, я тебе не по карману.

— Я смогу дать тебе все, что ты захочешь.

Ли усмехнулся.

— Правда? Что ж, я хочу прокатиться в Сен-Тропез на прекрасной белой яхте. Поедем?

— Ли, я богаче всех твоих друзей, вместе взятых.

— Неужели? Как я понял, ты всего лишь судья.

— Сегодня это так, но я стану богатым. Я хочу сказать... очень богатым.

Ли обнял его.

— Не заводись, Тайлер. Я свободен в следующий четверг. Как аппетитно выглядит эта яичница.

Так все и началось. Тайлер и раньше осознавал важность денег, но теперь они стали для него навязчивой идеей. Только деньги могли привязать к нему Ли. Тайлер не мог выкинуть его из головы. Мысль о том, что Ли дарит ласки другим мужчинам, сводила с ума. «Он должен принадлежать только мне», — решил Тайлер.

С двенадцати лет Тайлер знал, что он гомосексуалист. Однажды отец застал его обнимающим и целующим другого мальчика. Гарри Стенфорд рвал и метал.

— Просто не могу поверить, что мой сын — гомик! Теперь я знаю твой маленький грязный секрет и буду приглядывать за тобой, паршивец!

Заставить Тайлера жениться мог лишь человек, не признающий никакого юмора, кроме черного.

— Я хочу тебя кое с кем познакомить, — заявил ему отец.

Случилось это на Рождество, когда Тайлер приехал на каникулы в Роуз-Хилл. Кендолл и Вуди уже засвидетельствовали свое почтение отцу и отбыли. Тайлер собирался последовать их примеру, но отец приготовил ему сюрприз.

— Я решил тебя женить.

— Женить? Это невозможно! Я...

— Слушай, Тайлер, о тебе уже начинают ходить разные слухи, а я этого не потерплю. Я должен заботиться о своей репутации. Если ты женишься, люди перестанут судачить.

Тайлер стоял на своем.

— Мне безразлично, кто о чем говорит. Это моя жизнь.

— Вот я и хочу, чтобы твоя жизнь была богатой, Тайлер. Я старею. Вскоре... — Он пожал плечами. Кнут и пряник.

Наоми Шуйлер не блистала красотой. Родилась она в семье среднего достатка, и хотелось ей только одного: богатого мужа. Поэтому когда речь зашла о сыне Гарри Стенфорда, она не колебалась ни секунды. Наоми пошла бы за него, даже будь он не судьей, а рабочим на бензоколонке.

Поначалу Гарри Стенфорд затащил Наоми в свою постель. Когда его спросили, зачем, Стенфорд ответил просто и понятно: «Потому что она оказалась под рукой».

Гарри она быстро наскучила, и он решил, что Наоми — идеальная пара для Тайлера.

Желания Гарри Стенфорда выполнялись всегда. Бракосочетание состоялось через два месяца. Чествовали молодых в узком кругу, стол накрыли на сто пятьдесят человек, после чего молодожены отбыли в свадебное путешествие на Ямайку. Первая же брачная ночь кончилась фиаско.

— За кого я вышла замуж, черт побери? — пожелала знать Наоми. — Для чего у тебя конец?

Тайлер попытался урезонить ее.

— Мы можем обойтись без секса. У каждого будет

своя жизнь. Оставаясь вместе, будем общаться со своими... друзьями.

— Ты чертовски прав, будем!

Наоми мстила ему, сметая все подряд с прилавков дорогих чикагских магазинов. Кроме того, она частенько ездила за покупками в Нью-Йорк.

— Я не могу оплачивать твои расходы, — жаловался Тайлер.

— Попроси прибавки к жалованью. Я твоя жена. Ты обязан меня содержать.

Тайлер отправился к отцу, объяснил ситуацию. Гарри Стенфорд усмехнулся.

— Женщины такие транжиры. Попробуй уговорить ее сократить расходы.

— Но, отец, мне нужны...

— Придет день, когда все деньги мира будут твоими.

Тайлер пытался объяснить все это Наоми, но она не пожелала ждать дня, который должен будет прийти. Когда Наоми выжала Тайлера досуха, она подала на развод, отсудила те деньги, что еще оставались на его банковском счете, и исчезла.

Гарри Стенфорд прокомментировал развод коротко: «Голубой» навсегда останется «голубым».

Больше вопрос о женитьбе Тайлера не поднимался.

Гарри Стенфорд не упускал случая унизить Тайлера. Как-то раз в ходе процесса судебный пристав подошел к нему и прошептал:

— Извините, ваша честь...

Тайлер нетерпеливо повернулся к нему.

— Что такое?

— Вас просят к телефону.

— Что? У тебя все в порядке с головой? Сейчас идет слушание дела!

— Звонит ваш отец. Утверждает, что дело срочное и он должен немедленно переговорить с вами.

Тайлер кипел от гнева. Отец не имел права отрывать его от работы. Он уже решил, что не подойдет к телефону. Но, с другой стороны, если дело действительно срочное...

Тайлер встал.

— Объявляется перерыв на пятнадцать минут.

Он поспешил в свой кабинет, схватил трубку.

— Отец?

— Надеюсь, я ни от чего не оторвал тебя, Тайлер, — в голосе слышалась угроза.

— Очень даже оторвал. Как раз слушается дело о...

— Ладно, ладно, накажи виновного штрафом и отпусти на все четыре стороны.

— Отец...

— Мне требуется твоя помощь.

— В чем?

— Мой шеф-повар обкрадывает меня.

Тайлер не мог поверить своим ушам. Он так разозлился, что едва не потерял дар речи.

— Ты вытащил меня с судебного заседания, чтобы...

— Ты представитель закона, не правда ли? Так вот, он преступает закон. Я хочу, чтобы ты прилетел в Бостон и проверил всех моих слуг. Они пустят меня по миру!

Только чудом Тайлеру удалось не взорваться.

— Отец...

— Эти агентства по трудоустройству не заслуживают никакого доверия!

— Отец, я веду судебное разбирательство и сейчас не смогу прилететь в Бостон.

Последовала долгая пауза.

— Что ты сказал?

— Я сказал...

— Ты не хочешь разочаровать меня, Тайлер, не так ли? Может быть, мне следует переговорить с Фитцджералдом о внесении в завещание кое-каких изменений?

Тайлер откашлялся.

— Если ты сможешь прислать за мной свой самолет...

— Черта с два! При нормальном раскладе, судья, этот самолет со временем станет твоим. Подумай об этом. А пока пользуйся услугами авиакомпаний, как все обычные люди. И ты мне нужен здесь! — В трубке раздались гудки отбоя.

Тайлер сжимал трубку, едва не плача от унижения. «Отец с детства издевался надо мной, — думал он. — Ну его к черту! Не поеду. Не поеду!» Вечером Тайлер уже летел в Бостон.

Гарри Стенфорда обслуживали двадцать два человека. Секретари, дворецкий, домоправительницы, горничные, повара, шоферы, садовники, телохранитель.

— Воры, все они воры, — горько жаловался Тайлеру Гарри Стенфорд.

— Если тебя это так волнует, почему бы не нанять частного детектива или не обратиться в полицию?

— Потому что у меня есть ты, — ответствовал Гарри Стенфорд. — Ты судья, не так ли? Вот и суди их.

Тайлер переговорил с дворецким Кларком, шеф-поваром, главной домоправительницей. Лично побеседовал со всеми слугами, просмотрел их рекомендательные письма, краткие характеристики, предоставляемые агентствами по трудоустройству. Большинство слуг работали в доме короткое время, потому что у Стенфорда редко кто задерживался надолго. Текучка персонала изумляла. Некоторые успевали поработать лишь один-два дня. Кое-кто из новых слуг подворовывал по мелочам, один крепко пил, но за большинством не числилось ничего экстраординарного.

Исключение составлял лишь один человек. Дмитрий Камински.

Гарри Стенфорд нанял Камински в качестве телохранителя и массажиста. Многолетняя судебная практика научила Тайлера сразу оценивать человека, и Дмитрий с первого взгляда вызвал у него недоверие. На службу его приняли последним. Прежний телохранитель Гарри Стенфорда уволился по непонятной Тайлеру причине и порекомендовал на свое место Камински.

Габариты Камински поражали воображение. Широченная грудь, могучие мускулистые руки. По-английски он говорил с сильным русским акцентом.

— Вы хотели меня видеть?

— Да, — Тайлер указал на стул. — Присядьте. — Он посмотрел на характеристику, выданную агентством. Из нее следовало, что Дмитрий совсем недавно прибыл из России.

— Вы родились в России?

— Да. — Камински настороженно смотрел на Тайлера.

— Где?

— В Смоленске.

— Почему вы покинули Россию и приехали в Америку?

Камински пожал плечами.

— Здесь у человека больше возможностей.

«Возможностей для чего, — гадал Тайлер. — Этот русский старается уйти от прямых ответов». Беседа продолжалась двадцать минут, по прошествии которых Тайлер уже не сомневался, что Дмитрий Камински многое скрывает.

Тайлер позвонил Фреду Мастерсону, своему хорошему знакомому, работавшему в ФБР.

— Фред, хочу попросить тебя об одном одолжении.

— Почему нет? Если я окажусь в Чикаго, ты не станешь штрафовать меня за нарушение правил дорожного движения?

— Я серьезно.

— Выкладывай.

— Я хочу, чтобы ты проверил одного русского, приехавшего в Америку шесть месяцев тому назад.

— Подожди. Это же епархия ЦРУ[*], не так ли?

— Возможно, но в ЦРУ у меня знакомых нет.

— У меня тоже.

— Фред, если ты мне поможешь, я буду тебе очень признателен.

---

[*] ФБР действует внутри страны, ЦРУ — за ее пределами.

Тайлер услышал глубокий вздох.

— Ладно. Как его зовут?

— Дмитрий Камински.

— Вот что я могу сделать. Есть у меня один человек в русском посольстве в Вашингтоне. Я узнаю, нет ли у него чего на Камински. Если нет, ничем помочь не смогу.

— Премного тебе благодарен.

В тот же вечер Тайлер обедал с отцом. Подсознательно Тайлер надеялся, что с годами отец станет мягче, податливее, начнет болеть. Однако Гарри Стенфорд оставался крепким, как дуб. «Он никогда не умрет, — в отчаянии думал Тайлер. — Переживет нас всех».

Говорил за обедом только старший Стенфорд.

— Я только что подписал бумаги на покупку компании, обеспечивающей энергоснабжение Гавайских островов...

— На следующей неделе я вылетаю в Амстердам, чтобы утрясти некоторые вопросы, поставленные ГАТТ...

— Государственный секретарь попросил меня сопровождать его в ходе визита в Китай...

Тайлеру едва удавалось вставить слово. После десерта отец поднялся.

— Как продвигаются твои дела со слугами?

— Я еще не закончил проверку, папа.

— Не затягивай, — буркнул Гарри Стенфорд и вышел из столовой.

На следующее утро Тайлеру позвонил Фред Мастерсон из ФБР.

— Тайлер?

— Да.

— Интересный ты нашел экземпляр.

— Неужели?

— Дмитрий Камински был киллером у долгопрудненской группировки.

— И что сие означает?

— Объясняю. Москва поделена на зоны влияния восемью преступными группами. Они соперничают друг с другом, но две самые мощные группировки — чеченская и долгопрудненская. Твой приятель Камински работал на вторую. За три месяца до отъезда из России Камински заказали убийство одного из чеченских авторитетов. Вместо того чтобы убить его, Камински связался с ним, чтобы получить откупные. Долгопрудненцы об этом прознали и заказали убийство Камински. Эта группировка отличается особой жестокостью. Жертве отрубают пальцы, смотрят, как она истекает кровью, а какое-то время спустя пристреливают.

— Мой Бог!

— Камински удалось покинуть Россию, но его по-прежнему ищут. И ищут активно.

— Это невероятно.

— Дослушай до конца. Его также разыскивает полиция, чтобы допросить в связи с несколькими убийствами. Если ты знаешь, где он, в полиции с радостью воспользуются этой информацией.

Тайлер задумался. Нельзя впутываться в эту историю. Его могут попросить дать показания, а это потеря времени.

— Понятия не имею, где он сейчас. Меня попросил навести справки один русский знакомый. Спасибо тебе, Фред.

Дмитрия Камински Тайлер нашел в его комнате. Телохранитель проглядывал порнографический журнал и поднялся, увидев входящего Тайлера.

— Я хочу, чтобы вы собрали вещи и уехали отсюда.

Дмитрий вытаращился на него.

— А в чем дело?

— Выбор остается за вами. Или вы собираетесь и сегодня же уезжаете, или я сообщаю о вашем местонахождении русской полиции.

Дмитрий побледнел.

— Вы меня поняли?

— Да. Понял.

Тайлер отправился к отцу. «Он будет доволен, — думал Тайлер. — Я здорово выручил его».

Отца он нашел в кабинете.

— Я закончил проверку и...

— Прекрасно. Нашел маленьких мальчиков, готовых прыгнуть к тебе в постель?

Тайлер густо покраснел.

— Папа...

— Ты «голубой», Тайлер, и всегда будешь «голубым». Я не понимаю, как у меня мог родиться такой сын. Возвращайся в Чикаго к своим друзьям-педикам.

Тайлер стоял, изо всех сил стараясь сдержать охватившую его ненависть.

— Хорошо. — Он повернулся, чтобы уйти.

— Выяснил что-нибудь интересное насчет слуг? — послышалось вслед.

Тайлер бросил взгляд на отца.

— Нет, — ответил он. — Ничего.

Когда Тайлер вновь зашел в комнату Камински, тот собирал чемодан.

— Я уезжаю, — озвучил свой выбор Камински.

— Нет. Оставайся здесь, я передумал.

На лице Дмитрия отразилось недоумение.

— Как так?

— Я не хочу, чтобы ты уезжал. Я хочу, чтобы ты по-прежнему охранял моего отца.

— А как же... вы понимаете?

— Забудем об этом.

Дмитрий пристально смотрел на него.

— Почему? Чего вы от меня хотите?

— Я хочу, чтобы ты стал моими ушами и глазами. Мне нужен человек, который будет следить за моим отцом, держать меня в курсе его планов.

— Зачем мне это?

— Затем, что я не выдам тебя русским, если ты сделаешь все, что я скажу. И затем, что с моей помощью ты разбогатеешь.

Дмитрий Камински долго смотрел на Тайлера, потом его губы медленно разошлись в улыбке.

— Я останусь.

Игра началась. Первая пешка двинулась вперед.

Случилось это двумя годами раньше. Время от времени Дмитрий связывался с Тайлером. В основном сообщал последние сплетни, рассказывал о последних романах Гарри Стенфорда, о сделках, которые заключались в присутствии Камински. Тайлер уже начал склоняться к мысли, что он допустил ошибку и ему следовало выдать Дмитрия полиции. А потом Камински позвонил с Сардинии, и предусмотрительность Тайлера разом окупилась.

— Я с вашим отцом на его яхте. Он только что звонил своему адвокату. Встречается с ним в понедельник в Бостоне, чтобы изменить завещание.

Тайлеру вспомнились все унижения, которым подвергал его отец за долгие годы, и его охватила дикая ярость. «Если он изменит завещание, — подумал Тайлер, — то получится, что я зря сносил его оскорбления. Этого я не допущу! Тем более что есть способ его остановить».

— Дмитрий, я хочу, чтобы ты позвонил мне в субботу.

— Хорошо.

Тайлер положил трубку на рычаг и глубоко задумался. «Пожалуй, — решил он, — пора делать ход конем».

Глава 16

Перед судом округа Кука бесконечной чередой проходили обвиняемые в поджогах, изнасилованиях, распространении наркотиков, убийствах, прочих противозаконных деяниях. Каждый месяц судье Тайлеру Стенфорду приходилось как минимум шесть раз разбираться с обвиняемыми в убийстве. Большинство дел решалось во внесудебном порядке, так как адвокаты подсудимого выходили с решением, удовлетворявшим обе стороны. Суд обычно не возражал, потому что судебных процессов и так хватало с лихвой, а тюрьмы были переполнены. И судья Стенфорд лишь одобрял предложенное ему соглашение.

С Холом Бейкером вышло иначе.

Ему фатально не везло. Когда Холу было пятнадцать лет, старший брат предложил ему на пару ограбить бакалейную лавку. Хол пытался отговорить брата, а когда из этого ничего не вышло, составил ему компанию. Хола поймали, брат убежал. Двумя годами позже, выйдя из колонии для подростков, он решил, что никогда больше не преступит закон. Месяц спустя он отправился в ювелирный магазин с приятелем, который заявил, что хочет купить кольцо подружке.

В магазине приятель выхватил револьвер и закричал: «Это ограбление!»

В поднявшейся панике застрелили продавщицу. Хола Бейкера поймали и обвинили в вооруженном ограблении. Приятелю удалось сбежать.

В тюрьме Бейкера навестила Элен Ковэн, сотрудница службы социального обеспечения, которая прочитала в газете о его деле и прониклась к нему сочувствием. Они полюбили друг друга с первого взгляда и поженились, как только Хол вышел на свободу. За последующие восемь лет у них родилось четверо очаровательных детей.

Семью Хол Бейкер боготворил. Из-за тюремного прошлого ему с трудом удавалось найти работу, поэтому, чтобы содержать семью, иной раз приходилось работать на старшего брата. Что-то поджечь, кого-то ограбить, припугнуть. К несчастью для Бейкера, его поймали с поличным в чужой квартире, куда он вошел без ведома хозяев. Хола арестовали, препроводили в тюрьму и направили дело в суд. Вести процесс поручили судье Тайлеру Стенфорду.

Подошло время вынесения приговора. За Бейкером уже числилась отсидка, в молодости он тоже не был образцом для подражания, доказательства вины не вызывали ни малейшего сомнения, поэтому помощники окружного прокурора спорили лишь о том, сколько лет вкатит Бейкеру судья Стенфорд.

— Бейкер получит на полную катушку, — уверенно заявлял один из них. — Держу пари, Стенфорд даст ему двадцать лет. Не зря же его прозвали Вешателем.

Хол Бейкер, абсолютно уверенный в собственной невиновности, отказался от услуг адвоката и защищался сам. Одетый в свой лучший костюм, он встал перед судьей, чтобы произнести заключительную речь.

— Ваша честь, я знаю, что допустил ошибку, но все мы люди, не так ли? У меня удивительная жена и четверо детей. Как жаль, что вы их не знаете, ваша честь. У меня прекрасные дети. Если я что-то и делал, то лишь для их блага.

Тайлер Стенфорд бесстрастно смотрел на него. Он ждал, когда же Хол Бейкер выговорится и он сможет объявить приговор. «Неужели этот болван действительно полагает, что разжалобит меня, пуская слюни», — думал он.

А Хол Бейкер продолжал:

— ...так что сами видите, ваша честь, я совершил недостойный поступок, но по более чем достойной причине: ради семьи. Не мне говорить вам, какую роль играет для мужчины его семья. Если я сяду в тюрьму, мои жена и дети будут голодать. Я знаю, что поступил нехорошо, и готов искупить свою вину. Я сделаю все, о чем вы меня попросите, ваша честь...

Вот эта фраза не прошла мимо Тайлера Стенфорда. Он с интересом посмотрел на подсудимого. «Я сделаю все, о чем вы меня попросите». Интуитивно Тайлер понял, что перед ним второй Дмитрий Камински. Человек, который очень ему пригодится.

Решение Тайлера изумило прокурора.

— Мистер Бейкер, я считаю, что в вашем деле есть смягчающие обстоятельства. Принимая их во внимание, а также учитывая ваше отношение к семье, я намерен дать вам пять лет условно. Кроме того, я склоняюсь к тому, чтобы вы отработали на общественных работах шестьсот часов. Пройдемте в мой кабинет, там мы все и обсудим.

Когда они остались вдвоем, Тайлер грозно посмотрел на подсудимого.

— Между прочим, я и сейчас могу засадить вас за решетку на очень долгий срок.

Хол Бейкер побледнел.

— Но, ваша честь! Вы сказали...

Тайлер наклонился вперед.

— Знаете, что произвело на меня наибольшее впечатление?

Хол Бейкер этого не знал.

— Нет, ваша честь.

— Ваша любовь к жене и детям, — пояснил Тайлер. — Такое отношение к близким не может не вызывать восхищения.

Хол Бейкер просиял.

— Благодарю вас, сэр. Для меня они дороже всего на свете. Я...

— Значит, вы не хотите их потерять, не так ли? Если я отправлю вас за решетку, ваши дети вырастут без вас, ваша жена скорее всего найдет себе другого мужчину. Вы понимаете, к чему я клоню?

Хол Бейкер недоуменно воззрился на судью.

— Н-н-нет, ваша честь. Не совсем.

— Я оставляю вам семью, Бейкер. И рассчитываю на вашу благодарность.

— Я вам бесконечно благодарен, ваша честь! — с

196

жаром воскликнул Бейкер. — У меня не хватает слов, чтобы высказать, как я вам благодарен.

— Возможно, в будущем вам придется доказать вашу благодарность на деле. Я могу позвонить и попросить вас о некоторых услугах.

— Просите о чем угодно!

— Хорошо. Я даю вам условный срок, но если своим поведением вы вызовете мое неудовольствие...

— Только скажите, что вам от меня нужно, — взмолился Бейкер.

— Я вам сообщу в должное время. А пока этот разговор останется между нами.

Хол Бейкер приложил руку к сердцу.

— Я скорее умру, чем скажу хоть слово.

— И это правильно, — одобрил его Тайлер.

А вскоре Тайлеру позвонил Дмитрий Камински. «Я с вашим отцом на его яхте. Он только что звонил своему адвокату. Встречается с ним в понедельник в Бостоне, чтобы изменить завещание».

Тайлер решил, что должен ознакомиться с завещанием отца. А значит, пришло время звонить Холу Бейкеру.

— ...Фирма называется «Ренкуист, Ренкуист и Фитцджералд». Снимешь копию завещания и принесешь мне.

— Нет проблем. Будет исполнено, ваша честь.

Двенадцать часов спустя Тайлер держал в руках копию завещания. Прочитав ее, он только что не запрыгал от радости. Все свое состояние отец отписал им, ему,

Вуди и Кендолл. «Но в понедельник отец собирается изменить завещание, — вспомнил Тайлер. — Этот подонок хочет обобрать нас! После всего того, что нам пришлось пережить... Нет, эти миллиарды принадлежат нам!»

И есть только один способ остановить его.

Когда Дмитрий позвонил второй раз, Тайлер не колебался ни секунды.

— Я хочу, чтобы ты убил его. Этой ночью.

Последовало долгое молчание.

— Но если меня поймают...

— Позаботься о том, чтобы не поймали. Вы будете в открытом море. Там многое может случиться.

— Хорошо. После того, как?..

— Тебя будут ждать деньги и билет в Австралию.

И наконец долгожданный звонок.

— Я все сделал. Проблем не возникло.

— Нет! Нет! Нет! Я хочу знать подробности. Расскажи все, ничего не упуская.

Слушая, Тайлер представлял все, словно наяву.

— По пути к Корсике мы попали в жестокий шторм. Он позвонил, попросил меня зайти в его каюту и сделать ему массаж.

Тайлер сжимал трубку с такой силой, что побелели костяшки пальцев.

— Понятно. Продолжай...

Дмитрию с трудом удалось добраться до каюты Гарри Стенфорда: яхту немилосердно качало. Он постучал и через мгновение услышал голос Стенфорда:

— Заходи! — Он уже лежал на массажном столе. — Что-то тянет спину.

— Сейчас мы это поправим. Расслабьтесь, ⸱стер Стенфорд.

Дмитрий подошел к массажному столу, полил спину Стенфорда маслом. Его сильные пальцы принялись за работу, умело разминая затекшие мышцы. Он чувствовал, как расслабляется Стенфорд.

— Хорошо у тебя получается, — выдохнул он.

— Благодарю вас, сэр.

Массаж длился почти час, и когда Дмитрий закончил, Стенфорд уже засыпал.

— Теперь вам надо принять теплую ванну. — Дмитрий прошел в ванную, открыл кран с теплой морской водой, вернулся в спальню. Стенфорд по-прежнему лежал на столе с закрытыми глазами.

— Мистер Стенфорд...

Тот приоткрыл глаза.

— Ваша ванна готова.

— Зачем мне сейчас?..

— Чтобы хорошо выспаться.

Он помог Стенфорду слезть с массажного стола и повел его в ванную.

Дмитрий наблюдал, как тот опускается в теплую воду. Стенфорд поднял глаза и интуитивно понял, что сейчас должно произойти.

— Нет! — крикнул он и начал вылезать из ванны. Огромные руки Дмитрия обхватили голову Стенфорда и затолкали ее под воду. Стенфорд отчаянно боролся, пытаясь вырваться из рук Дмитрия, но против этого гиганта он ничего не мог сделать. Дмитрий его не отпускал. Когда морская вода проникла в его легкие, Стенфорд затих. Дмитрий постоял у ванны, тяжело дыша, потом направился в гостиную, с трудом сохраняя равновесие: яхту все так же швыряло из стороны в сторону. Взяв со стола какие-то бумаги, Дмитрий открыл стеклянные двери на палубную веранду. В каюту ворвался ветер. Дмитрий разбросал бумаги по полу, часть их улетела в ночь.

Потом он вытащил Стенфорда из ванны, надел на него пижаму, халат, шлепанцы и оттащил тело на палубную веранду. Постояв у поручня, Дмитрий перекинул через него тело. Выждал пять минут, потом схватил трубку внутренней связи и прокричал: «Человек за бортом!»

Слушая Дмитрия, Тайлер испытывал почти сексуальное возбуждение. Он ощущал горечь морской воды, наполняющей легкие отца, чувствовал охватывающий его ужас. А потом все провалилось в темноту.

«Конец, — подумал Тайлер. И тут же поправил себя: —Нет, игра только начинается. Пора вводить в бой королеву».

Глава 17

Эта шахматная фигура попала в его поле зрения случайно. Тайлер раздумывал над завещанием отца и все более тяготился мыслью о том, что Вуди и Кендолл получат равные с ним доли наследства. «Они этого не заслуживают. Если б не я, их бы просто вычеркнули из завещания. Они бы ничего не получили. Это несправедливо, но что здесь можно изменить?»

Тайлеру принадлежала одна акция, в далеком детстве полученная от матери. Он помнил слова отца: «И что, по-твоему, он сделает с этой акцией? Попытается установить контроль над компанией?»

«Вместе у Вуди и Кендолл будет две трети акций отцовской «Стенфорд энтерпрайзез», — думал Тайлер. — Как я установлю контроль с одной акцией?» И тут его осенило. В голове Тайлера возник изящный план. Получалось, что одной акции для этого больше чем достаточно.

«Я должен предупредить вас, что возможно появление еще одного наследника...

В завещании вашего отца специально оговорено,

что его состояние должно быть поделено поровну между всеми потомками...

Гувернантка, которая работала у вас, забеременела от вашего отца...

Она родила дочь...»

«Если Джулия объявится, нас станет четверо, — думал Тайлер. — Контролируя ее акции, я буду располагать половиной акций отца плюс одной акцией, которая уже принадлежит мне. То есть я получу контроль над «Стенфорд энтерпрайзез». Я смогу сесть в кресло отца. Розмари мертва, вполне возможно, что она не сказала дочери, кто ее отец. Да и к чему мне настоящая Джулия Стенфорд?»

Вот так в игру вступила Марго Познер.

Впервые Тайлер столкнулся с ней двумя месяцами раньше, на судебном заседании.

Судебный пристав повернулся к сидящим в зале.

— Внимание. Заседание окружного суда объявляю открытым. Заседание проводится под председательством его чести, судьи Тайлера Стенфорда. Всем встать.

Тайлер вышел из кабинета и занял свое место. Посмотрел на список дел, предназначенных к слушанию. Первым значилось: штат Иллинойс против Марго Познер. Она обвинялась в физическом насилии и покушении на убийство.

Поднялся прокурор.

— Ваша честь, подсудимая — опасная личность, которую следует держать подальше от чикагских улиц. Обвинение покажет, что за подсудимой тянется длинный шлейф преступлений. Ее признавали виновной в воровстве, обмане, проституции. Она числилась среди тех женщин, что работали на известного сутенера по имени Рафаэль. В январе этого года у них возникла ссора, и подсудимая хладнокровно разрядила пистолет в Рафаэля и его спутницу.

— Жертвы умерли? — осведомился Тайлер.

— Нет, ваша честь. Их госпитализировали с серьезными ранениями. Пистолет, из которого стреляла Марго Познер, был приобретен ею незаконным путем.

Когда Тайлер повернулся, чтобы взглянуть на подсудимую, его ждал сюрприз. То, что он увидел, никак не соотносилось с только что услышанным. Перед ним сидела хорошо одетая, красивая женщина лет под тридцать, элегантность которой словно подчеркивала несостоятельность выдвинутых против нее обвинений. «Не зря говорят, что внешность обманчива», — подумал Тайлер.

Он слушал аргументы сторон, но взгляд его то и дело возвращался к подсудимой. Чем-то она ему напоминала его сестру.

После заключительных речей адвокатов присяжные удалились в комнату для совещаний, чтобы вынести свое решение. Меньше чем через четыре часа они вернулись в зал, единогласно признав Марго Познер виновной по всем пунктам.

Тайлер долго смотрел на подсудимую, прежде чем объявить приговор.

— Суд не может найти смягчающих обстоятельств в этом деле. Вы приговариваетесь к пяти годам заключения в Дуайтском исправительном центре... Следующее дело.

И только когда Марго Познер вывели из зала, Тайлер понял, почему она ему напомнила его сестру Кендолл. Глаза. Те же темно-серые глаза. Глаза Стенфордов.

Тайлер не вспоминал о Марго Познер до звонка Дмитрия. Дебют шахматной партии прошел удачно. Тайлер всесторонне продумал каждый ход. Он разыграл классический ферзевый гамбит, начав с перемещения пешки, стоящей перед королевой, на два поля. Теперь пришел черед миттельшпиля*.

Тайлер навестил Марго Познер в женской тюрьме.

— Ты меня помнишь?

Ее глаза сердито сверкнули.

— Как же мне вас забыть? Ведь это вы засунули меня сюда.

— И как тебе здесь?

Она скорчила гримаску.

— Издеваетесь? Это же сущий ад.

— Хочется на свободу?

— Да кто меня... Вы серьезно?

— Вполне. Я могу это устроить.

— Тогда... Отлично! Премного вам благодарна. Так что я должна за это сделать?

— Кое-что сделать придется.

Она игриво посмотрела на него.

— Отчего нет? С удовольствием.

— Я имею в виду совсем другое.

Она насупилась.

— А что вы имеете в виду, судья?

---

* Срединная, наиболее ответственная часть шахматной партии.

— Я хочу, чтобы ты помогла мне кое-кого разыграть.

— В каком смысле?

— Я хочу, чтобы ты изобразила другого человека.

— Изобразить другого человека? Но я не знаю, как...

— За это ты получишь двадцать пять тысяч долларов.

Выражение ее лица переменилось.

— Нет проблем. Изображу кого скажете. О чем, собственно, речь?

Тайлер наклонился вперед и рассказал все, что счел нужным.

Марго Познер освободили под поручительство Тайлера. Кейт Перси, главный судья округа, услышал от него следующее объяснение:

— Я узнал, что она очень талантливая артистка и стремится в корне изменить свою жизнь, полностью порвав с преступностью. Я думаю, мы обязаны помочь случайно оступившемуся человеку, не так ли?

Слова Тайлера произвели на Кейта должное впечатление.

— Абсолютно верно, Тайлер. ты совершаешь благородный поступок.

Тайлер привез Марго в свой дом и пять дней пичкал ее теми подробностями из жизни семьи Стенфорд, которые ей следовало знать.

— Как зовут твоих братьев?

— Тайлер и Вудрофф.

— Вудро.

— Совершенно верно, Вудро.

— Как мы его звали?

— Вуди.

— У тебя есть сестра?

— Да, Кендолл. Она модельер.

— Она замужем?

— Да. За французом. Его зовут... Марк Ренуар.

— Рено.

— Рено.

— Как звали твою мать?

— Розмари Нелсон. Ее наняли гувернанткой к детям Стенфордов.

— Почему она ушла?

— Ее накачал...

— Марго! — одернул ее Тайлер.

— Я хотела сказать, она забеременела от Гарри Стенфорда.

— Что случилось с миссис Стенфорд?

— Она покончила с собой.

— Что рассказывала тебе мать о детях Стенфордов? Марго молчала не меньше минуты.

— Однажды вы свалились в воду.

— Не свалился! — поправил ее Тайлер. — Едва не свалился.

— Правильно. Вуди чуть не арестовали за то, что он рвал цветы в...

— Цветы рвала Кендолл...

Он не знал жалости. Гонял и гонял ее до позднего вечера, пока Марго не валилась с ног.

— Кендолл укусила собака.

— Собака укусила меня.

Она потерла глаза.

— У меня в голове все перемешалось. Я так устала. Я должна поспать.

— Поспишь позже!

— И сколько это будет продолжаться?

— Пока ты все не запомнишь. Давай повторим еще раз.

Усилия Тайлера не пропали даром. И вскоре пришел день, когда Марго правильно отвечала на любой вопрос.

— Теперь ты готова, — удовлетворенно кивнул он и протянул ей какие-то документы.

— Что это? — спросила Марго.

— Пустая формальность, — последовал ответ.

Она подписала бумагу о передаче принадлежащей ей доли наследства Гарри Стенфорда некой корпорации, контролируемой другой корпорацией, которая, в свою очередь, принадлежала оффшорной фирме. Единственным владельцем фирмы был Тайлер. Проследить всю цепочку практически не представлялось возможным.

Тайлер протянул Марго пять тысяч долларов.

— Остальное получишь, если справишься с заданием. Если убедишь их, что ты Джулия Стенфорд.

С момента появления Марго в Роуз-Хилл Тайлер изображал адвоката дьявола. Подвергал сомнению каждое ее слово.

«Я уверен, вы понимаете всю сложность нашего положения, мисс... э...

Не получив доказательств, мы не можем принять вас, как...

Я считаю, что эта женщина — мошенница... Сколько слуг работало в доме, когда мы были детьми?

Десятки, не правда ли? И некоторые могли знать все то, о чем рассказала нам эта юная дама...

И фотографию она могла получить от кого угодно.. Не забывай, что речь идет об очень больших деньгах...»

Завершило комбинацию требование провести проверку ДНК.

Тайлер позвонил Холу Бейкеру и дал ему новые инструкции: «Вырой тело Гарри Стенфорда и избавься от него».

А чего стоила блестящая идея нанять частного детектива! В присутствии всех он позвонил в прокуратуру Чикаго.

«— Это судья Тайлер Стенфорд. Как я понимаю, ваша прокуратура время от времени обращается к одному частному детективу. Фамилию я точно не помню, вроде бы Симмонз или...

— А, вы, наверное, имеете в виду Френка Тиммонза.

— Тиммонз! Да, конечно. Не могли бы вы дать мне номер его телефона, чтобы я непосредственно связался с ним». Но вызвал он Хола Бейкера, представив его как Френка Тиммонза.

Поначалу Тайлер планировал, что Хол Бейкер лишь изобразит проведение расследования, но потом решил, что отчет Бейкера прозвучит более убедительно, если тот на самом деле пойдет по следу Розмари Нелсон и ее дочери. И действительно, находки Бейкера ни у кого не вызвали ни малейших сомнений.

План Тайлера удался полностью. Марго Познер безупречно сыграла свою роль. Особенно в сцене с отпечатками пальцев. Тут уж все уверовали в то, что перед ними настоящая Джулия Стенфорд.

«— Я, например, рад, что мы нашли однозначный ответ на вопрос, который мучил всех. Поднимусь наверх, спрошу, не нужно ли ей чего.

Подойдя к двери он постучал.

— Джулия?

— Открыто. Можно войти.

Тайлер постоял на пороге, они молча смотрели друг на друга. Потом он вошел, плотно закрыл за собой дверь, протянул к ней руки, и его губы медленно разошлись в улыбке.

— Мы справились, Марго! Справились!»

Глава 18

Стив Слоун и Саймон Фитцджералд пили кофе в кабинете руководителя фирмы «Ренкуист, Ренкуист и Фитцджералд».

— Как говаривал великий бард: «Неладно что-то в Датском королевстве».

— Что тебя тревожит? — полюбопытствовал Фитцджералд.

Стив вздохнул.

— Сам не знаю. Это семейство Стенфорд. Они меня удивляют.

Саймон Фитцджералд хмыкнул.

— Не тебя одного.

— Я продолжаю задавать себе один и тот же вопрос, Саймон, но не могу найти ответа.

— Что за вопрос?

— Родственники очень уж стремились эксгумировать тело Гарри Стенфорда, чтобы сравнить его ДНК с ДНК этой женщины. Полагаю, за этим просматривался только один мотив: стремление доказать, что ДНК у них разные. И исчезновение тела на руку только этой женщине, при условии, что она мошенница.

— Согласен.

— Однако частный детектив Френк Тиммонз — я созванивался с окружным прокурором Чикаго, у него безупречная репутация — представляет отпечатки пальцев, доказывающие, что эта женщина — истинная Джулия Стенфорд. Вопрос следующий: кто вырыл тело Гарри Стенфорда и почему?

— Вопрос, который тянет на миллиард долларов. Если...

Зажужжал аппарат внутренней связи.

— Мистер Слоун, — послышался голос секретаря, — вам звонят по второй линии.

Стив Слоун снял трубку с одного из стоящих на столе телефонов.

— Слушаю.

— Мистер Слоун, это судья Стенфорд. Буду вам очень признателен, если вы сможете сегодня утром приехать в Роуз-Хилл.

Стив Слоун посмотрел на Фитцджералда.

— Хорошо. Через час?

— Меня это вполне устроит. Благодарю вас.

Стив положил трубку на рычаг.

— Меня желают видеть в доме Стенфорда.

— Интересно, зачем ты им понадобился.

— Ставлю десять против одного, что они хотят ускорить прохождение завещания через суд по делам о наследствах, чтобы побыстрее добраться до денежек.

— Ли? Это Тайлер. Как ты?

— Спасибо, все хорошо.

— Мне очень недостает тебя.

Короткая пауза.

— Мне тоже, Тайлер.

Услышав эти слова, он едва не запрыгал от радости.

— Ли, у меня замечательные новости. К сожалению, по телефону сказать ничего не могу, но ты бы очень им порадовался. Когда мы с тобой...

— Тайлер, мне надо идти. Меня ждут.

— Но...

В трубке раздались гудки отбоя. Тайлер посидел, сжимая в руке телефонную трубку. «Ли не стал бы говорить, что ему недостает меня, только ради красного словца», — подумал он.

В гостиной Роуз-Хилл собрались все, за исключением Вуди и Пегги. Стив внимательно всмотрелся в лица.

Судья Стенфорд очень спокоен, всем доволен. Кендолл неестественно скована. Ее муж днем раньше специально прилетел из Нью-Йорка. Стив пригляделся к Марку. Симпатичный француз, на несколько лет моложе жены.

И Джулия. Она слишком уж спокойно восприняла воссоединение с семьей. Стив подумал, что, унаследовав миллиард долларов, можно улыбаться и почаще.

Он вновь прошелся взглядом по лицам, гадая, кто мог выкрасть тело Гарри Стенфорда. И почему.

— Мистер Слоун, — заговорил судья Стенфорд, — я знаком с законами штата Иллинойс, касающимися официального признания завещания, но не знаю, сколь сильно отличаются они от законов Массачусетса. Нас интересует, есть ли возможность ускорить прохождение завещания нашего отца через суд по делам о наследствах.

Стив улыбнулся про себя. «Следовало бы все-таки поспорить с Саймоном», — подумал он и повернулся к Тайлеру.

— Мы уже этим занимаемся, судья Стенфорд.

— Я думаю, фамилия Стенфорд может сыграть определенную роль.

«Здесь он, конечно, прав», — подумал Стив и кивнул.

— Я сделаю все, что в моих силах. Если...

На лестнице послышались голоса.

— Замолчи, глупая сука! Не хочу больше слышать ни слова. Понятно тебе?

Вуди и Пегги спустились вниз. У Пегги перекосило лицо, один глаз начал заплывать. Вуди улыбался, его глаза неестественно блестели.

— Всем привет. Надеюсь, мы не опоздали.

Сидящие в гостиной в ужасе смотрели на Пегги Кендолл встала.

— Что с тобой случилось?

— Ничего. Я... я наткнулась на дверь.

Вуди сел. Пегги уселась рядом с ним. Вуди похлопал ее по руке.

— У тебя все в порядке, не так ли дорогая? — участливо спросил он.

Пегги кивнула, не доверяя своему голосу.

— Хорошо. — Вуди повернулся к остальным. — Так что я пропустил?

Тайлер осуждающе смотрел на него.

— Я только что спросил мистера Слоуна, не может ли он ускорить прохождение завещания через суд по делам о наследствах.

Улыбка Вуди стала шире.

— Прекрасная мысль. — Он повернулся к Пегги. — Ты не откажешься от нескольких новых платьев, дорогая, не так ли?

— Мне не нужны новые платья, — потупившись, ответила она.

— И это правильно. Все равно ты никуда не ходишь. — Он оглядел сидящих в гостиной. — Пегги такая застенчивая. Совершенно не умеет поддерживать разговор. Ты согласна со мной, дорогая?

Пегги вскочила и выбежала из комнаты.

— Пойду посмотрю, что с ней. — Кендолл последовала за Пегги.

«Господи, — подумал Стив Слоун. — Если Вуди так ведет себя на людях, как же он обращается с женой, когда рядом никого нет?»

Вуди повернулся к Слоуну.

— Давно вы работаете в юридической фирме Фитцджералда?

— Пять лет.

— Понять не могу, как они выносили моего отца.

Стив ответил, тщательно выбирая слова.

— Как я понимаю, с вашим отцом... иной раз возникали сложности.

Вуди фыркнул.

— Сложности! Да он был двуногим чудовищем. Знаете, какие он подобрал нам прозвища? Мою сестру, к примеру, прозвал Пони, потому что считал, что в лице у нее было что-то лошадиное. Тайлера...

— Мне кажется, вам не стоит... — прервал его Стив.

Вуди усмехнулся.

— Вы правы. Миллиард долларов может залечить любые раны.

Стив поднялся.

— Если других вопросов ко мне нет, я, с вашего разрешения, откланяюсь. — Ему не терпелось выйти из этого дома, глотнуть свежего воздуха.

Кендолл нашла Пегги в ванной, та сидела, приложив мокрое полотенце к распухшей щеке.

— Пегги? С тобой все в порядке?

Пегги повернулась.

— Да. Благодарю. Я... Извините, что внизу я...

— Ты извиняешься? За что? Давно он тебя бьет?

— Он меня не бьет, — возразила Пегги. — Я наткнулась на дверь.

Кендолл шагнула к ней.

— Пегги, почему ты это терпишь? Ты не обязана все это сносить.

Пегги ответила после долгой паузы.

— Обязана.

Кендолл в изумлении вытаращилась на нее.

— Но почему?

— Потому что люблю его. — Слова полились потоком. — И он любит меня. Поверьте, он не всегда такой. Просто случается... Иногда он сам не свой.

— То есть, когда принимает наркотики.

— Нет!

— Пегги...

— Нет!

— Пегги...

Она помялась.

— Полагаю, что да.

— Когда это началось?

— Сразу... сразу после того, как мы поженились. — У Пегги сел голос. — Из-за поло. Вуди упал с пони и получил тяжелые травмы. В больнице ему давали наркотики, чтобы снять боль. Все началось с них. — В ее глазах стояла мольба. — Сами видите, вина не его. Выйдя из больницы, Вуди... Вуди продолжал принимать наркотики. Когда я пыталась уговорить его отказаться от пагубной привычки, он... он меня бил.

— Пегги, ему же нужна помощь. Разве ты этого не понимаешь? В одиночку ему не справиться. Он же наркоман. Что он принимает? Кокаин?

— Нет. — Пегги запнулась. — Героин.

— Мой Бог! Разве ты не можешь заставить его обратиться к специалистам?

— Я пыталась. — Голос Пегги упал до шепота. — Чего я только ни делала. Он лежал в трех клиниках. — Она покачала головой. — Поначалу все шло хорошо, а потом... потом он вновь брался за старое. Он... он не может отказаться от наркотиков.

Кендолл обняла Пегги.

— Как мне тебя жаль.

Пегги выдавила из себя улыбку.

— Я уверена, у Вуди все наладится. Он хочет вылечиться. Очень хочет. — Она помолчала. — Когда мы только поженились, с ним было так хорошо. Он дарил мне подарки и... — Ее глаза наполнились слезами. — Я так его люблю!

— Если я могу чем-нибудь...

— Спасибо вам, — прошептала Пегги. — Мне очень дорого ваше участие.

Кендолл сжала ее руку.

— Мы еще поговорим.

Спускаясь по лестнице, Кендолл думала о своем детстве. Какие планы строили они при жизни матери. «Ты станешь знаменитым модельером, сестра, а я — величайшим спортсменом», — говорил Вуди. Но самое грустное в том, что он мог бы им стать, вздохнула Кендолл. И такой итог.

Кендолл не знала, кого она жалеет больше, Вуди или Пегги.

У лестницы ее поджидал Кларк с подносом, на котором лежало письмо.

— Извините меня, мисс Кендолл. Посыльный только что доставил для вас это письмо. — Он протянул ей конверт.

Кендолл удивленно посмотрела на дворецкого.

— Кто... — Она кивнула. — Спасибо, Кларк.

Кендолл разорвала конверт, развернула письмо и побледнела, прочитав лишь первую строчку.

— Нет! — выдохнула она. Сердце заколотилось как бешеное, перед глазами все поплыло. Кендолл оперлась о столик, чтобы не упасть, и глубоко вздохнула.

Собрав волю в кулак, она вошла в гостиную, бледная как полотно.

— Марк... — С невероятным трудом ей удалось изгнать дрожь из голоса. — Можно тебя на минутку?

Он повернулся к ней, поднялся.

— Да, конечно.

— Тебе нехорошо? — озабоченно спросил Тайлер.

Кендолл сумела улыбнуться.

— Все в порядке, не волнуйся.

Взяв Марка за руку, она увела его наверх. В спальне плотно закрыла дверь.

— В чем дело? — спросил Марк.

Кендолл протянула ему конверт. Он прочитал:

«Дорогая мисс Рено! Примите наши поздравления! Наша Ассоциация защиты диких животных безмерно обрадовалась, узнав о полученном Вами наследстве. Мы знаем, как заинтересованы Вы в успешной деятельности нашей Ассоциации, и рассчитываем на Вашу дальнейшую поддержку. Мы будем Вам очень признательны, если в течение ближайших десяти дней Вы переведете 1 миллион долларов на наш счет в цюрихском банке. С нетерпением ждем».

Как и в других письмах, в этом западали все буквы «е».

— Мерзавцы! — взорвался Марк.

— Как они узнали, где меня искать? — спросила Кендолл.

— Для этого достаточно раскрыть газету. — В голосе Марка слышалась горечь. Он перечитал письмо, покачал головой. — Они не остановятся. Нам придется идти в полицию.

— Нет! — воскликнула Кендолл. — Никогда! Слишком поздно! Разве ты не понимаешь? На всем будет поставлен крест. На всем!

Марк обнял ее, прижал к груди.

— Хорошо. Мы что-нибудь придумаем.

Но Кендолл понимала, что придумать ничего нельзя.

История эта началась несколько месяцев тому назад, в прекрасный весенний день. Кендолл поехала в Риджфилд, штат Коннектикут, на день рождения к подруге. Вечеринка прошла отлично. Кендолл наболталась с подругами. Выпила бокал шампанского. В разгар беседы бросила взгляд на часы.

— Неужели так поздно?! Марк меня заждался.

Торопливо попрощавшись, Кендолл прыгнула в автомобиль и уехала. Чтобы сэкономить время, она решила ехать по местной дороге с частыми поворотами. Один из них она проходила на скорости пятьдесят миль в час. Заметив автомобиль, стоящий на правой обочине, Кендолл автоматически взяла влево. И в этот самый момент на шоссе появилась женщина с охапкой только что сорванных цветов. Кендолл попыталась избежать столкновения, но не сумела.

Раздался глухой удар: она задела женщину левым крылом. Кендолл резко затормозила, выскочила из машины, подбежала к женщине. Та лежала на дороге, залитая кровью.

Кендолл на мгновение остолбенела. Потом наклонилась, перевернула женщину. На нее смотрели безжизненные глаза.

— Бог мой, — прошептала Кендолл.

К горлу подкатила тошнота. Она подняла голову, огляделась, не зная, что делать. Ее охватила паника. Дорога пустынная, вокруг ни души. «Она мертва, — подумала Кендолл. — Я ей ничем не помогу. Вины моей нет, но меня обвинят в неосторожном вождении. Да я еще и выпила. Анализ крови выявит наличие алкоголя. Меня посадят в тюрьму!»

Кендолл еще раз взглянула на тело женщины и поспешила к своему автомобилю. Вмятина на левом крыле, пятна крови. «Я должна поставить автомобиль в гараж, — решила Кендолл. — Полиция будет его разыскивать». Она села за руль, и автомобиль сорвался с места.

Остаток пути до Нью-Йорка она то и дело поглядывала в зеркало заднего обзора, ожидая увидеть красные мигающие «маячки» патрульной машины, услышать вой сирены. Кендолл сразу поехала в гараж на Девяносто шестой улице, где она держала машину. Сэм, владелец гаража, о чем-то говорил с Редом, механиком. Кендолл вылезла из кабины.

— Добрый вечер, миссис Рено, — поздоровался Сэм.

— До... добрый вечер. — Ее всю трясло.

— Автомобиль оставляете на ночь?

— Да.

Ред смотрел на крыло.

— У вас тут вмятина, миссис Рено. Похоже, на ней кровь.

Мужчины уставились на нее. Кендолл глубоко вдохнула.

— Да. Я... я сбила оленя на автостраде.

— Вам еще повезло, — покивал Сэм. — Подумаешь, вмятина. Мой приятель тоже сбил оленя. Так ему пришлось менять машину. — Он улыбнулся. — От оленя, правда, тоже ничего не осталось.

— До свидания. — Кендолл направилась к воротам.

— До свидания.

У ворот Кендолл оглянулась. Мужчины смотрели на вмятину на крыле.

Когда Кендолл пришла домой и рассказала Марку о том, что произошло, он нежно обнял ее.

— Бедная ты моя. Как...

Кендолл рыдала.

— Я... я ничего не могла поделать. Она начала переходить дорогу перед моей машиной. Она... она собирала цветы и...

— Ш-ш-ш! Я уверен, это не твоя вина. Несчастный случай. Мы должны заявить в полицию.

— Я знаю. Ты прав. Я... Мне следовало остаться там и подождать их приезда. Я... я запаниковала, Марк. А теперь получается, что я сбила человека и бросила его на дороге. Но я ничем не могла ей помочь. Она уже умерла. Видел бы ты ее лицо. Как это ужасно!

Он не разжимал объятий, пока она не успокоилась.

— Марк... — после долгого молчания вновь заговорила Кендолл. — Нам обязательно идти в полицию?

Он нахмурился.

— Что ты хочешь этим сказать?

Она попыталась совладать с нервами, не впасть в истерику.

— Для этой женщины все кончено, не так ли? К жизни ее не вернешь. Так чего же наказывать меня? Я ведь не хотела ее убивать. Может, нам лучше обо всем забыть?

— Кендолл, если тебя выследят...

— Как? Там же никого не было.

— А автомобиль? Что с ним?

— Вмятина на крыле. Я сказала владельцу гаража, что сбила оленя. Марк, никто ничего не видел... Меня же могут арестовать, посадить в тюрьму! Моя фирма распадется, рухнет здание, которое я строила столько лет. И ради чего? Она все равно умерла. — И Кендолл опять затряслась в рыданиях.

Марк вновь обнял ее.

— Ш-ш-ш! Подумаем, что нам делать. Подумаем.

Утренние газеты вынесли это происшествие на первые полосы. Выяснилось, что женщина ехала на Манхаттан к своему жениху. Собиралась выйти замуж. «Нью-Йорк таймс» ограничилась лишь фактами. «Дейли ньюс» и «Ньюсдей» щедро разбавили факты эмоциями.

Кендолл купила все газеты. Ее все больше охватывал ужас от содеянного. Как ей хотелось повернуть время вспять.

Если б она не поехала в Коннектикут на день рождения подруги... Если бы в тот день она осталась дома... Если б она ничего не пила... Если бы женщина вышла на дорогу на несколько секунд раньше или позже... Голову сверлила одна и та же мысль: «Я убила человека!» Кендолл думала о том горе, которое она причинила семье женщины, семье ее жениха. К горлу вновь подкатила тошнота. Газеты написали, что полиция обращается к возможным свидетелям происшествия с просьбой сообщить все, что им известно. «Они меня не найдут, — думала Кендолл. — Я должна вести себя так, словно ничего не случилось».

Когда Кендолл пришла утром в гараж, чтобы забрать автомобиль, ее поджидал Ред.

— Я стер кровь с крыла. Вы хотите, чтобы я выпрямил вмятину?

«Конечно!» — едва не воскликнула Кендолл, коря себя за то, что не подумала об этом раньше.

— Да, пожалуйста.

Ред как-то странно посмотрел на нее. Или у нее просто разыгралось воображение?

— Сэм и я говорили об этом вчера вечером. Чудно, знаете ли. После столкновения с оленем повреждения обычно куда серьезнее.

У Кендолл учащенно забилось сердце. Во рту пересохло, она едва не потеряла голос.

— Это был... маленький олень.

Ред коротко кивнул.

— Должно быть, совсем маленький.

Кендолл чувствовала на себе его взгляд, когда выезжала из гаража.

Когда Кендолл появилась на работе, ее секретарь, Надин, взглянув на нее, воскликнула:

— Что с вами случилось?

Кендолл обмерла.

— Что... о чем ты?

— На вас лица нет. Сварить вам кофе?

— Не откажусь.

Кендолл подошла к зеркалу. Лицо бледное, глаза потухшие. «Они все поймут, лишь взглянув на меня», — подумала она. Надин внесла в кабинет чашку горячего кофе.

— Вот. Вам сразу станет лучше. — Она с любопытством посмотрела на Кендолл. — С вами все в порядке?

— Я... Вчера я чуть не попала в аварию.

— О? Никто не пострадал?

Перед мысленным взором Кендолл возникло лицо мертвой женщины.

— Нет. Я... я сбила оленя.

— А машина?

— Вмятина на крыле. Ее выправят.

— Я позвоню в вашу страховую компанию.

— Нет, Надин, пожалуйста, не надо.

В глазах Надин Кендолл заметила удивление.

Первое письмо пришло через два дня:

«Дорогая миссис Рено! Я председатель Ассоциации защиты диких животных. Мы оказались в отчаянном положении, но уверены, что Вы сможете нам помочь. Ассоциации нужны деньги для защиты диких животных. Особенно нас заботит судьба оленей. Вы можете перевести 50 тысяч долларов на счет номер 804072-А в банк «Швейцарский кредит» в Цюрихе. Настоятельно рекомендую перевести деньги в течение ближайших пяти дней».

Подпись отсутствовала. Все буквы «е» в письме западали. В конверте лежала также газетная вырезка со статьей об инциденте.

Кендолл прочитала письмо дважды. Марк был прав, подумала она. Следовало сразу обратиться в полицию. Теперь же она скрывается от закона. Если ее найдут, ей грозят тюрьма, бесчестие, конец карьеры.

Во время перерыва на ленч она забежала в банк.

— Я хочу перевести пятьдесят тысяч долларов в Швейцарию...

Вечером, придя домой, Кендолл показала письмо Марку. Тот остолбенел.

— Господи! Кто мог послать это письмо?

— Никто... никто не знает, — она вся дрожала.

— Кендолл, кто-то знает!

Она заломила руки.

— Рядом никого не было, Марк! Я...

— Подожди. Давай подумаем. Ты вернулась в город. Что дальше?

— Ничего. Я... я поставила машину в гараж и... — Она замолчала. Ей вспомнились слова Сэма: «У вас тут вмятина, миссис Рено. Похоже, на ней кровь».

Марк заметил, как изменилось ее лицо.

— Что ты вспомнила?

— Меня встретили владелец гаража и его механик. Они видели кровь на крыле. Я сказала им, что сбила оленя, а они ответили, что при столкновении с оленем машина получает более серьезные повреждения. — На этом воспоминания не кончились. — Марк...

— Да?

— Надин, моя секретарь. Я сказала ей то же самое. Но и она мне не поверила. Значит, кто-то из них троих.

— Нет, — покачал головой Марк.

Она уставилась на него.

— Почему нет?

— Присядь, Кендолл, и выслушай меня. Если кто-то из них заподозрил тебя, он мог рассказать эту историю десяткам людей. Об инциденте сообщили все газеты.

Кто-то сложил два и два. Я думаю, письмо послали наобум, чтобы проверить, клюнешь ли ты. Ты допустила серьезную ошибку, выслав деньги.

— Но почему?

— Потому что теперь они знают, что виновата ты. Неужели ты этого не понимаешь? Ты предоставила им доказательство своей вины.

Марк Рено на мгновение задумался.

— Есть идея. Возможно, мы сумеем выяснить, кто эти мерзавцы.

На следующее утро, в десять часов, Кендолл и Марк сидели в кабинете Расселла Джиббонса, вице-президента Первого манхаттанского сберегательного банка.

— Чем я могу вам помочь? — любезно осведомился мистер Джиббонс.

— Мы хотели бы проверить номерной счет в одном из банков Цюриха.

— Да?

— Мы хотим знать, кто открыл этот счет.

Джиббонс потер подбородок.

— Ваш вопрос связан с каким-либо преступлением?

— Нет, — быстро ответил Марк. — А почему вы спрашиваете?

— Видите ли, если речь не идет о преступной деятельности, к примеру, об отмывании денег или о нарушении законов Соединенных Штатов или Швейцарии, банки Швейцарии никому не сообщают фамилии владельцев номерных счетов. Их репутация зиждется на конфиденциальности отношений банка с клиентом.

— Но есть же какой-нибудь способ...

— Извините, к сожалению, нет.

Кендолл и Марк переглянулись. Во взгляде Кендолл сквозило отчаяние.

Марк поднялся.

— Позвольте поблагодарить вас за то, что уделили нам несколько минут.

— Жаль, что ничем не смог вам помочь. — Он проводил их до дверей.

Приехав в тот вечер в гараж, Кендолл не увидела ни Сэма, ни Реда. Она поставила машину на место, а проходя мимо маленького закутка, служившего кабинетом, заметила пишущую машинку. Остановилась, не отрывая от нее глаз, гадая, не западает ли в ней буква «е». «Надо это проверить», — подумала она.

Кендолл подошла к закутку, поколебавшись, открыла дверь, переступила через порог. Она уже двинулась к пишущей машинке, когда словно из-под земли возник Сэм.

— Добрый вечер, миссис Рено. Могу я вам чем-нибудь помочь?

Она резко обернулась.

— Нет. Я... Я только поставила машину. Спокойной ночи. — Она поспешила к выходу.

— Спокойной ночи, миссис Рено.

Утром, проходя мимо закутка, Кендолл увидела, что пишущая машинка исчезла. На ее месте стоял персональный компьютер.

Сэм перехватил ее взгляд:

— Красивая штучка, правда? Решил идти в ногу с двадцатым веком.

«На какие деньги он смог купить компьютер?» — задала себе Кендолл резонный вопрос. Вечером она обо всем рассказала Марку.

— Такое возможно, — согласился он, — но нам нужны доказательства.

В понедельник утром, когда Кендолл пришла на работу, ее встретила улыбающаяся Надин.

— Вам получше, миссис Рено?

— Да, благодарю.

— Вчера у меня был день рождения. Посмотрите, что подарил мне муж. — Надин подошла к стенному шкафу и достала роскошное норковое манто. — Прекрасный подарок, не правда ли?

Глава 19

Джулии Стенфорд нравилось жить в одной квартире с Салли. Та всегда пребывала в прекрасном настроении. Она успела неудачно выйти замуж, развестись и
поклялась никогда больше не связываться с мужчинами. Джулия подозревала, что по терминологии Салли
слово «никогда» имело значение, отличное от общеп-
ринятого, потому что она меняла мужчин каждую неделю.

— Лучше женатиков не найти, — философствовала
Салли. — Они чувствуют себя виноватыми, поэтому
всегда покупают подарки. С одинокими поневоле зада-
ешься вопросом, почему он до сих пор не нашел себе
пары.

— А ты ни к кем не встречаешься? — спросила она
Джулию.

— Нет. — Джулия подумала о мужчинах, которые
хотели бы пригласить ее на свидание. — Я не желаю
встречаться лишь для того, чтобы хорошо провести
время. Мне бы хотелось найти человека, который будет
мне небезразличен.

— Есть у меня такой человек! — воскликнула
Салли. — Ты влюбишься в него с первого взгляда.

Зовут его Тони Ванетти. Я рассказывала ему о тебе, он очень хочет с тобой познакомиться.

— Я как-то...

— Завтра он заедет за тобой в восемь вечера.

Тони Ванетти заехал. Высокий, очень высокий, с густыми черными волосами и обаятельной улыбкой. Он восхищенно посмотрел на Джулию.

— Салли не преувеличивала. Вы фантастическая женщина!

— Благодарю за комплимент, — потупилась Джулия. Тони ей определенно нравился.

— Вы бывали в «Хаустоне»?

Так назывался один из лучших ресторанов Канзас-Сити.

— Нет. — По правде говоря, даже после того, как Джулия получила прибавку к жалованью, она не могла позволить себе отобедать в «Хаустоне».

— Я уже заказал нам столик.

За обедом Тони говорил главным образом о себе, но Джулия не возражала. Ей нравился его голос, обходительные манеры. «Он просто душка», — характеризовала его Салли. И она не погрешила против истины.

Обед был выше всяких похвал. На десерт Джулия заказала шоколадное суфле, а Тони — мороженое. За кофе Джулия задумалась о том, что должно последовать за обедом. «Собирается ли он пригласить меня к себе? А если пригласит, должна ли я соглашаться? Нет, этого делать не следует. Во всяком случае, при первой встрече. Он подумает, что я дешевка. Если мы пойдем куда-нибудь еще раз...»

Официант принес чек. Тони внимательно просмотрел его.

— Вроде бы не записано ничего лишнего. Ты заказывала паштет и лобстера...

— Да.

— Еще картофель-фри, салат и суфле, так?

На ее лице отразилось недоумение.

— Совершенно верно...

— Отлично. Твоя доля — пятьдесят долларов и сорок центов.

Джулия остолбенела.

— Что-что?

Тони широко улыбнулся.

— Я знаю, какими независимыми считают себя современные женщины. Вы же не разрешаете мужчинам платить за вас, так ведь? Ладно, чаевые я заплачу за двоих.

— Жаль, что все так вышло, — вздохнула Салли. — Он вообще-то прелесть. Больше встречаться с ним не будешь?

— Для меня это слишком накладно, — ответила Джулия.

— Ладно, у меня на примете есть другой мужчина. Он тебе понравится.

— Нет, Салли. Честно говоря, ни с кем я не хочу...

— Положись на меня.

Тед Риддл поначалу понравился Джулии. Симпатичный мужчина лет тридцати восьми, он повез Джулию в ресторан «Дженни», знаменитый хорватской кухней.

— Салли оказала мне услугу, — ворковал Риддл. — Вы такая красивая.

— Спасибо за комплимент.

— Салли сказала вам, что у меня рекламное агентство?

— Нет. Не сказала.

— А зря. У меня одна из крупнейших фирм в Канзас-Сити. Все меня знают.

— Очень приятно. Я...

— Среди наших клиентов крупнейшие корпорации Америки...

— Неужели? Я не...

— Именно так. А также кинозвезды, банки, торговые дома...

— Ну, я...

— Кого мы только не рекламируем.

— Это...

— Давайте я расскажу вам, с чего все началось...

За обедом он говорил без перерыва и все на одну тему: о Теде Риддле.

— Он, наверное, нервничал, — попыталась выгородить его Салли.

— Знаешь, он заставил нервничать меня. Если ты хочешь узнать что-нибудь о жизни Теда Риддла, начиная со дня его рождения, спрашивай меня!

— Джерри Маккинли!

— Кто?

— Джерри Маккинли, как же я могла о нем забыть. Он встречался с одной моей подругой. Она была от него без ума

— Спасибо, Салли, но давай не будем.

— Я ему позвоню.

На следующий вечер «нарисовался» Джерри Маккинли. Милый и обаятельный. Войдя, он посмотрел на Джулию и потупился.

— Встретиться с незнакомым человеком для меня всегда проблема. Я по натуре очень застенчив и хорошо понимаю, что вы сейчас чувствуете, Джулия.

Он ей сразу приглянулся. Обедать они поехали в китайский ресторанчик на Стейт-авеню.

— Вы работаете в архитектурной фирме. Должно быть, это очень интересно. Я считаю, люди не понимают, какая важная работа у архитекторов.

«Как он все тонко чувствует», — подумала Джулия и ослепительно улыбнулась.

— Полностью с вами согласна.

Вечер доставил ей огромное удовольствие. С каждой минутой Джерри Маккинли нравился ей все больше. Она решила проявить инициативу.

— Не хотите ли заехать ко мне, выпить по рюмочке?

— Нет. Давайте сразу в мою квартиру.

— В вашу квартиру?

Он наклонился вперед, сжал ее руку.

— Там я держу плетки и цепи.

Генри Уэссону принадлежала бухгалтерская фирма, арендовавшая помещение в том же здании, где работали Питерс, Истман и Толкин. Два или три раза в неделю Джулия попадала с ним в один лифт. Лет тридцати с небольшим, интеллигентного вида, светло-волосый, в очках с темной роговой оправой.

Знакомство началось с вежливых кивков, за которыми последовало «Доброе утро» и «Как хорошо вы сегодня выглядите». Через несколько месяцев он набрался храбрости и спросил: «Вы не откажетесь как-нибудь пообедать со мной?» И с замиранием сердца ждал ответа, не сводя глаз с Джулии.

Джулия улыбнулась.

— Не откажусь.

Генри влюбился в нее с первого взгляда. Пригласил ее в «И-би-ти», один из лучших ресторанов Канзас-Сити. Находясь рядом с ней, он буквально млел от восторга.

Коротко рассказал ей о себе.

— Я родился здесь, в Канзас-Сити. И отец родился здесь. Желудь от дуба недалеко падает. Вы понимаете, что я имею в виду?

Джулия его поняла.

— Я всегда знал, что хочу стать бухгалтером. По окончании школы поступил в финансовую корпорацию «Байглоу и Бензон». Теперь у меня своя фирма.

— Это очень хорошо, — покивала Джулия.

— Пожалуй, это все, что я могу рассказать о себе. Теперь ваша очередь.

Джулия ответила не сразу. И монолог, который она произнесла, так и остался неозвученным: «Я незаконнорожденная дочь одного из самых богатых людей мира. Вы, наверное, слышали о нем. Он только что утонул. Я наследница его состояния. Я могу купить этот ресторан, если захочу. Наверное, я могу купить весь город».

Генри пристально смотрел на нее.

— Джулия?

— Да? Я... извините. Я родилась в Милуоки. Мой... мой отец умер, когда я была совсем маленькой. Моя мама и я много ездили по стране. Когда мама умерла, я решила остаться в этом городе и найти работу.

«Надеюсь, я не очень покраснела», — подумала она.

Генри Уэссон накрыл ее руку своей.

— Так у вас никогда не было мужчины, который заботился бы о вас. — Он наклонился вперед. — Я готов заботиться о вас до конца ваших дней.

Джулия удивленно посмотрела на него.

— Не подумайте, что я забыла, какой век на дворе, но ведь мы совсем не знаем друг друга.

— Я хочу это изменить.

Когда Джулия вернулась домой, Салли дожидалась ее.

— Ну? Как прошло свидание?

— Он очень мил и...

— Без ума от тебя!

Джулия улыбнулась.

— Думаю, он сделал мне предложение.

У Салли округлились глаза.

— Ты думаешь, он сделал тебе предложение? Боже мой! Женщина всегда знает наверняка, сделали ей предложение или нет!

— Он сказал, что хочет заботиться обо мне до конца моих дней.

— Это предложение! — воскликнула Салли. — Это предложение! Выходи за него! Быстро! Выходи за него, пока он не передумал!

Джулия рассмеялась.

— К чему такая спешка?

— Слушай меня. Пригласи его на обед. Я все приготовлю, а ты скажешь, что весь день не отходила от плиты.

Вновь зазвенел серебристый смех Джулии.

— Нет, благодарю. Когда я встречу человека, за которого захочу выйти замуж, мы будем покупать еду в китайских ресторанчиках, но, поверь мне, стол украсят цветы, а есть мы будем при свечах.

— Ты знаешь, растить детей в Канзас-Сити — одно удовольствие, — сказал ей Генри на втором свидании.

— Да, знаю, — кивнула Джулия.

Не знала она другого: хочет ли она растить его детей. Он, конечно, мужчина обстоятельный, серьезный, не пьет, но...

Своими сомнениями она поделилась с Салли.

— Он снова и снова предлагает мне выйти за него замуж.

— А какого ты о нем мнения?

Джулия задумалась, пытаясь найти в Генри что-нибудь романтичное.

— Он обстоятельный, серьезный, не пьет...

— Другими словами, он зануда, — суммировала Салли.

— Не такой уж зануда... — попыталась защитить Джулия своего воздыхателя.

Салли кивнула.

— Зануда. Выходи за него.

— Что?

— Выходи за него. Хорошего мужа-зануду найти сейчас очень непросто.

Жизнь от зарплаты до зарплаты — все равно что прогулка по финансовому минному полю. Налоги, оплата квартиры, расходы на автомобиль, покупка продуктов, одежды. Джулия ездила на «тойоте», и у нее складывалось впечатление, что на машину она тратила больше, чем на себя. Она постоянно занимала деньги у Салли.

Как-то вечером, когда Джулия одевалась, к ней заглянула Салли.

— Свидание с Генри? Куда он ведет тебя сегодня?

— Мы идем в консерваторию. Концерт Клео Лайн.

— Старина Генри снова сделал тебе предложение?

Джулия помялась. Дело в том, что Генри при каждой встрече предлагал ей выйти за него замуж. А она никак не могла заставить себя ответить «да».

— Не упусти его, — предупредила Салли.

«Наверное, Салли права, — подумала Джулия. — Генри Уэссон будет хорошим мужем. Он... — Она вздохнула. — Он обстоятельный, серьезный, не пьет... Разве этого не достаточно?»

Джулия уже направилась к двери, когда Салли спросила:

— Можно мне взять твои черные туфли?

— Конечно. — Джулия скрылась за дверью.

Салли прошла в спальню Джулии и открыла стенной шкаф. Туфли, которые она хотела взять, стояли на верхней полке. Потянувшись за ними, Салли задела стоящую рядом картонную коробку. Коробка полетела вниз, ее содержимое рассыпалось по полу.

— Черт! — Салли наклонилась, начала собирать газетные вырезки, фотографии, журнальные статьи. В каждой фигурировал Гарри Стенфорд.

Внезапно в спальню вбежала Джулия.

— Я забыла свою... — Она не договорила, увидев валяющиеся на полу бумаги, фотографии.

— Что ты делаешь?

— Извини, пожалуйста. Свернула случайно коробку, — пояснила Салли.

Покраснев, Джулия присела, начала собирать вырезки и фотографии, складывать их в коробку.

— Я понятия не имела, что ты интересуешься богатыми и знаменитыми, — подала голос Салли.

Джулия молча продолжала свое дело. Подняв пачку фотографий, обнаружила под ней маленький медальон, который перед смертью дала ей мать, и отложила медальон в сторону.

Салли пристально смотрела на нее.

— Джулия?

— Что?

— Чем тебя так заинтересовал Гарри Стенфорд?

— Меня — нет. Я... Это все мамино.

Салли пожала плечами.

— Не хочешь — не рассказывай.

Она тоже начала собирать бумаги. Ей в руки попалась вырезка из скандального журнальчика. Она прочитала заголовок: «ГУВЕРНАНТКА БЕРЕМЕНЕЕТ

ОТ ФИНАНСОВОГО МАГНАТА. РЕБЕНОК РОЖ-
ДАЕТСЯ ВНЕ БРАКА. МАТЬ И МЛАДЕНЕЦ ИСЧЕ-
ЗАЮТ».

У Салли округлились глаза и открылся рот.

— Мой Бог! Так ты дочь Гарри Стенфорда!

Джулия покачала головой, продолжая собирать бумаги и фотографии.

— Дочь или нет?

Джулия подняла на нее глаза.

— Я бы не хотела об этом говорить.

Салли вскочила.

— «Я бы не хотела об этом говорить»! Ты дочь одного из богатейших людей мира и не хотела бы об этом
говорить! У тебя поехала крыша?

— Салли...

— Ты знаешь, какое у него состояние? Миллиарды
долларов!

— Ко мне они не имеют ни малейшего отношения.

— Если ты его дочь, то имеют, и самое непосредственное. Ты наследница! Тебе надо лишь поставить в
известность семью и...

— Нет!

— Нет... почему?

— Ты не понимаешь, — Джулия встала, потом опус-
тилась на кровать. — Гарри Стенфорд был ужасным человеком. Он бросил мою мать. Она ненавидела его, и я
его ненавижу.

— Нельзя ненавидеть таких богачей. Их надо понимать.

Джулия покачала головой.

— Я не хочу иметь с ними ничего общего.

— Джулия, наследницы таких состояний не живут в крошечных квартирках, не покупают одежду на распродажах, не одалживают деньги, чтобы внести кредитный взнос. Твоя семья придет в ужас, узнав, как ты живешь. Этим ты их унижаешь.

— Они даже не знают, что я существую.

— Ты должна связаться с ними.

— Салли...

— Да?

— Закроем эту тему.

Салли долго смотрела на нее.

— Как скажешь. Кстати, не сможешь одолжить пару миллиончиков до зарплаты, а?

Глава 20

Тайлер не находил себе места. Последние двадцать четыре часа он то и дело набирал номер Ли, но телефон не отвечал. «С кем он, — агонизировал Тайлер. — Что он делает?»

Тайлер вновь набрал номер. Гудок, второй... десятый. Он уже хотел положить трубку, когда услышал голос Ли.

— Слушаю.

— Ли! Как ты?

— Кто говорит?

— Тайлер.

— Тайлер? — Пауза. — А, да.

От обиды у Тайлера сжалось сердце.

— Как поживаешь?

— Все отлично.

— Помнишь, я говорил, что приготовил тебе сюрприз?

— Да. — В голосе Ли слышалась скука.

— Ты хотел сплавать в Сен-Тропез на прекрасной белой яхте.

— И что?

— Предлагаю отплыть в следующем месяце.

— Ты серьезно?

— Серьезнее некуда.

— Ну... даже не знаю. У тебя объявился приятель с яхтой?

— Я сам намерен купить яхту.

— Судья, ты там ничем не обкурился?

— Об..? Нет, нет. Мне просто достались кое-какие деньги. Много денег.

— Сен-Тропез, говоришь? Отличная идея. Конечно, я с удовольствием поплыву с тобой.

Тайлер облегченно вздохнул.

— Превосходно. А пока не стоит тебе... — Он не смог заставить себя произнести эти слова. — Я с тобой свяжусь, Ли. — И Тайлер положил трубку.

Сел на край кровати. «Я с удовольствием поплыву с тобой». Дивная картина открылась его глазам. Прекрасная яхта. На борту он и Ли. Вдвоем. Вместе.

Тайлер потянулся за телефонным справочником и раскрыл раздел фирм, торговавших яхтами.

Компания «Джон Олден яхтс, инк.» располагалась в торговом порту Бостона. Едва Тайлер переступил порог, как к нему поспешил менеджер по продажам.

— Что вас может сегодня заинтересовать, сэр?

Тайлер оглядел его с головы до ног, слова сами скатились с его языка.

— Я хотел бы купить яхту.

Яхта отца, несомненно, являлась составной частью наследства, но Тайлер не желал делить ее с братом и сестрой. Он хотел иметь собственный корабль.

— Моторную или парусную?

— Я... э... Точно сказать не могу. Я собираюсь в кругосветное путешествие.

— Тогда я бы рекомендовал моторную.

— Мне нужна белая яхта.

Менеджер как-то странно посмотрел на него.

— Да, разумеется. А каковы размеры?

Длина яхты «Голубые небеса» равнялась ста восьмидесяти футам.

— Двести футов.

Менеджер по продажам мигнул.

— Да, я понимаю. Разумеется, такая яхта стоит больших денег, мистер... э...

— Судья Стенфорд. Мой отец — недавно ушедший от нас Гарри Стенфорд.

Менеджер просиял.

— Деньги не проблема, — добавил Тайлер.

— Разумеется, судья Стенфорд. Мы найдем вам такую яхту, что все обзавидуются. Конечно, белую. А пока позвольте предложить вам фотографии яхт, которые вы можете купить хоть сегодня. Позвоните мне, если какие-то вас заинтересуют.

Вуди Стенфорд думал о пони для поло. Всю жизнь он играл на чужих пони, но теперь мог себе позволить завести собственную конюшню.

Он позвонил Мими Карсон.

— Я хочу купить твоих пони. — Настроение у него было лучше некуда. — Совершенно верно, всю конюшню. Я серьезно. Правильно...

Разговор затянулся на полчаса. Трубку он положил, улыбаясь во весь рот. И отправился на поиски Пегги.

Она в одиночестве сидела на веранде. Под пудрой еще проступали синяки.

— Пегги.

Она подняла голову.

— Что?

— Я должен поговорить с тобой. Я... я не знаю, с чего начать.

Она ждала. Он глубоко вздохнул.

— Я знаю, что был плохим мужем. Просто не пойму, как ты меня терпела. Но, дорогая, теперь все изменилось. Ты понимаешь? Мы богаты. Действительно богаты. И я хочу загладить свою вину перед тобой. — Он взял ее за руку. — Я твердо решил завязать с наркотиками. Раз и навсегда. Мы начнем новую жизнь.

Она заглянула в его глаза.

— Неужели, Вуди?

— Да, я обещаю. Я знаю, что говорил то же самое и раньше, но теперь я сам этого хочу. Я лягу в клинику, где меня смогут вылечить. Я хочу вырваться из этого ада. Пегги... — Его голос переполняло отчаяние. — Без тебя мне не справиться. Ты знаешь, один я не смогу...

Она долго смотрела на него, затем обняла.

— Бедный мой. Я знаю, — прошептала она. — Знаю. Я тебе помогу.

Тайлер решил, что Марго Познер у них загостилась. Он нашел ее в кабинете отца. Закрыл за собой дверь.

— Хотел снова поблагодарить тебя, Марго.

Она улыбнулась.

— Неплохо все получилось. И я развлеклась, — она посмотрела на него. — Может, мне податься в актрисы?

Он кивнул.

— Почему нет? Эту аудиторию ты провела.

— Это точно.

— Вот твои деньги. — Он протянул ей конверт. — И билет на самолет до Чикаго.

— Благодарю.

Тайлер посмотрел на часы.

— Тебе пора собираться.

— Хорошо. Я хочу, чтобы вы знали, что я очень вам благодарна. За то, что вытащили меня из тюрьмы и все такое.

На губах Тайлера тоже появилась улыбка.

— Все нормально. Доброго тебе пути.

— Благодарю.

Он наблюдал, как она идет к лестнице на второй этаж. Игра закончилась.

Шах и мат.

Марго Познер упаковывала чемодан, когда в ее спальню вошла Кендолл.

— Привет, Джулия. Я только хотела... Куда это ты собралась?

— Домой.

Кендолл изумленно уставилась на нее.

— Так скоро? Но почему? Я надеялась, что мы побудем вместе, поближе познакомимся друг с другом. Нам надо наверстать столько лет.

— Обязательно. Еще будет время.

Кендолл присела на кровать.

— Словно чудо, правда? Найти друг друга через столько лет.

Марго продолжала собирать вещи.

— Да. Настоящее чудо.

— Ты прямо-таки Золушка. Живешь как все, но внезапно кто-то дарит тебе миллиард долларов.

Марго оторвалась от чемодана.

— Что?

— Я сказала...

— Миллиард долларов?

— Да. В соответствии с завещанием отца его наследство делится между нами в равных долях.

Теперь уже Марго вытаращилась на Кендолл.

— Каждый из нас получит по миллиарду долларов?

— Разве тебе не сказали?

— Нет, — после паузы ответила Марго. — Не сказали. — Она задумалась. — Знаешь, Кендолл, а ты права. Нам давно пора познакомиться поближе.

Кларк нашел Тайлера в солярии. Тот просматривал фотографии яхт.

— Извините, судья Стенфорд, но вас просят к телефону.

— Сейчас возьму трубку.

Звонил Кейт Перси из Чикаго.

— Тайлер?

— Да.

— Хочу сообщить тебе приятную новость.

— Внимательно слушаю.

— Я собираюсь на пенсию. Как ты отнесешься к назначению главным судьей?

Тайлер едва не захихикал.

— Буду очень польщен, Кейт.

— Что ж, считай, ты им уже стал.

— Я... не знаю, что и сказать.

А что он мог сказать? «Миллиардеры не сидят в залах суда, вынося приговоры отбросам общества» или «Едва ли смогу выкроить время. Уплываю, понимаешь, в кругосветное путешествие на своей яхте»?

— Как скоро ты вернешься в Чикаго?

— Пока вынужден оставаться здесь. Утрясаю семейные дела.

— Ладно, мы все тебя ждем.

— До свидания.

Тайлер положил трубку, посмотрел на часы. Марго пора в аэропорт. Тайлер направился в ее спальню.

Раскрыв дверь, он увидел, что Марго распаковывает чемодан, и удивленно воззрился на нее.

— Ты не готова?

Она посмотрела на него, улыбнулась.

— Нет. Сами видите, распаковываю вещи. Я подумала и решила, что мне здесь нравится. Побуду еще немного.

Тайлер нахмурился.

— О чем ты говоришь? Твой самолет улетает в Чикаго.

— Это не последний самолет, судья. — Она усмехнулась. — Может, я даже куплю себе собственный.

— Что?

— Вы же сказали, что с моей помощью хотите кого-то разыграть.

— Сказал.

— Получается, что разыграли меня. Я же стою миллиард долларов.

Лицо Тайлера закаменело.

— Я хочу, чтобы ты убралась отсюда. Немедленно.

— Хотите? Я уеду, когда сочту нужным. А пока мне уезжать незачем.

Тайлер всмотрелся в нее.

— И чего же ты хочешь?

— Так-то лучше. Оказывается, мне причитается миллиард долларов. Вы хотели подгрести его под себя, так? Я, конечно, предполагала, что кое-что вам обломится, но уж никак не миллиард! Это меняет дело. Думаю, мне причитается какая-то часть.

В дверь постучали.

— Извините меня, — раздался голос Кларка. — Ленч подан.

Марго улыбнулась Тайлеру.

— Идите один. Мне есть не хочется. Надо утрясти кое-какие дела.

Во второй половине дня в Роуз-Хилл зачастили посыльные. Они привезли коробки с платьями от Армани, спортивную одежду из «Саачи Бутик», белье от Джордан Марш, песцовую шубу от Наймана Маркуса, браслет с бриллиантами от Картье. На всех покупках значилось имя Джулии Стенфорд.

Когда в половине пятого Марго вернулась в Роуз-Хилл, ее встретил взбешенный Тайлер.

— Что ты вытворяешь? — набросился он на Марго.

Та улыбнулась.

— Надо же мне приодеться. Вы же хотите, чтобы ваша сестра выглядела достойно, ведь так? Просто удивительно, сколько можно накупить в кредит, если твоя фамилия Стенфорд. О счетах вы позаботитесь, не так ли?

— Джулия...

— Марго, — напомнила она ему. — Между прочим, я видела у вас на столе фотографии яхт. Выбираете, какую купить?

— Это не твое дело.

— Ой ли? Может, мы вместе отправимся в круиз? Яхту назовем «Марго». Или лучше «Джулия»? Кругосветное плавание вдвоем. Одиночества я не выношу.

Тайлер помолчал.

— Кажется, я тебя недооценил. Очень уж ты умна.

— Как я понимаю, это комплимент.

— Надеюсь, и благоразумна.

— В зависимости от ситуации. Что вы подразумеваете под благоразумием?

— Один миллион долларов. Наличными.

У Марго учащенно забилось сердце.

— Все сегодняшние покупки остаются у меня?

— Да.

Она глубоко вздохнула.

— Договорились.

— Хорошо. Деньги постараюсь получить как можно быстрее. В Чикаго я смогу вернуться лишь через пару дней. — Он вытащил из кармана ключ, протянул ей. — Вот ключ от моего дома. Поживи там до моего приезда. И, пожалуйста, ни с кем не говори.

— Хорошо. — Она пыталась скрыть охватившую ее эйфорию. «Может, следовало попросить больше?» — подумала она.

— Я закажу тебе билет на следующий рейс.

— А мои покупки?

— Я перешлю их в Чикаго.

— Хорошо. Похоже, мы оба в плюсе, не так ли?

Тайлер кивнул.

— Да. Оба.

Тайлер сам отвез Марго в международный аэропорт Логана, чтобы убедиться, что на этот раз она улетит.

— А что вы скажете остальным? — спросила Марго. — Насчет моего отъезда?

— Скажу, что ты поехала навестить заболевшую подругу. В Южную Америку.

Она задумчиво посмотрела на него.

— Знаете, судья, а может, наше кругосветное путешествие на яхте не такая уж плохая идея?

По системе громкой связи объявили посадку на чикагский рейс.

— Мне пора.

— Счастливого пути.

— Благодарю. До встречи в Чикаго.

Тайлер наблюдал, как она скрылась в посадочном тоннеле, затем постоял на галерее для провожающих, пока ее самолет не поднялся в воздух. И только после этого вернулся к лимузину.

— В Роуз-Хилл, — приказал он шоферу.

Вернувшись в особняк, Тайлер сразу поднялся в свою комнату и позвонил главному судье Кейту Перси.

— Мы все ждем тебя, Тайлер. Когда ты возвращаешься? Мы решили устроить в твою честь маленькую вечеринку. Только для своих.

250

— Очень скоро, Кейт. А пока мне очень нужна твоя помощь. Я попал в щекотливую ситуацию.

— С удовольствием помогу тебе. Что случилось?

— Дело касается преступницы, которой я пытался помочь. Марго Познер. Я тебе о ней говорил.

— Помню. А что такое?

— Бедняжка почему-то решила, что она моя сестра, поехала следом за мной в Бостон и попыталась убить меня.

— Господи! Какой ужас!

— Сейчас она летит в Чикаго, Кейт. Она украла ключ от моего дома, и я не знаю, что еще она может придумать. Эта женщина не в своем уме и очень опасна. Она угрожала убить всю мою семью. Я хочу, чтобы ее отправили в закрытую психиатрическую больницу в Риде. Если ты перешлешь мне по факсу соответствующие бумаги, я их подпишу. О проведении психиатрической экспертизы я договорюсь сам.

— Конечно, Тайлер, конечно. Я займусь этим немедленно.

— Буду тебе очень признателен. Она летит рейсом триста семь авиакомпании «Юнайтед эйрлайнз». Самолет прибывает в восемь пятнадцать. Думаю, надо встретить ее прямо в аэропорту. В клинике она должна находиться под наблюдением круглосуточно. И никаких посетителей.

— Я об этом позабочусь. Тебе столько пришлось пережить, Тайлер.

Голос Тайлера дрогнул.

— Это же прописная истина, Кейт: ни одно доброе

дело, пусть даже самое маленькое, не остается безнаказанным.

— Джулия не составит нам компании? — спросила Кендолл за ужином.

— К сожалению, нет, — с грустью ответил Тайлер. — Она просила попрощаться за нее с вами. Уехала ухаживать за подругой, которая живет в Южной Америке. Инсульт. Совершенно неожиданно.

— Но завещание...

— Джулия оставила мне доверенность. Она хочет, чтобы я перевел ее долю наследства в трастовый фонд.

Слуга поставил перед Тайлером горшочек с густой бостонской похлебкой.

— Как вкусно пахнет, — воскликнул судья. — Что-то я сегодня проголодался.

Самолет компании «Юнайтед эйрлайнз», следующий рейсом 307 Бостон — Чикаго, пошел на посадку в международном аэропорту О'Хара. Из динамиков системы громкой связи раздался металлический голос: «Дамы и господа, пожалуйста, застегните ремни безопасности».

Марго Познер пребывала в прекрасном расположении духа. Думала она о том, как потратит миллион долларов, где покажется в купленных нарядах и украшениях. «Здорово я это провернула», — хвалила она себя.

После приземления самолета Марго собрала вещи, которые взяла с собой в салон, и направилась к трапу. Следом за ней двинулась стюардесса. У трапа стояла машина «скорой помощи». Рядом маячили два санитара в белых халатах и врач. Стюардесса увидела их и указала на Марго.

Как только Марго сошла с трапа, к ней подошел врач.

— Простите меня.

Марго посмотрела на него.

— Да?

— Вы Марго Познер?

— Да. А в чем...

— Я доктор Циммерман. — Он взял ее за руку. — Мы хотим, чтобы вы прошли с нами. — Он потянул ее к машине «скорой помощи».

Марго попыталась вырваться.

— Подождите! Что вы делаете?

Санитары подскочили к ней с двух сторон, схватили под руки.

— Идите спокойно, мисс Познер, — посоветовал ей врач.

— Помогите! — закричала Марго. — Помогите!

Другие пассажиры изумленно таращились на нее.

— Да что с вами такое? — кричала Марго. — Вы ослепли? Меня похищают! Я Джулия Стенфорд! Я дочь Гарри Стенфорда!

— Разумеется, разумеется, — кивал доктор Циммерман. — Только успокойтесь.

Пассажиры самолета наблюдали, как визжащую и брыкающуюся Марго заталкивают в машину «скорой помощи». В салоне доктор достал шприц, вогнал иглу в руку Марго.

— Успокойтесь. Все будет хорошо.

— Вы сумасшедший! — не унималась Марго. — ы... — У нее начали слипаться глаза.

Дверцы машины «скорой помощи» захлопнулись, она тронулась с места.

Когда Тайлеру доложили о том, что произошло в аэропорту, он громко рассмеялся. Тайлер без труда представил себе эту сцену. Что ж, жадная сучка получила по заслугам. Он позаботится о том, чтобы она осталась в дурдоме до конца своих дней.

«Теперь игра закончилась, — думал он. — Я победил! А старик пусть переворачивается в могиле, если она у него есть. Контроль над «Стенфорд энтерпрайзез» принадлежит мне! Я могу исполнить любое желание Ли.

Великолепно. Все просто великолепно!»

Наполненный событиями день возбудил Тайлера. «Мне надо расслабиться», — решил он. Открыл чемодан, достал со дна экземпляр «Адресной книги Домрона». В Бостоне имелось несколько баров для геев. Он остановил свой выбор на клубе «В поисках приключений», расположенном на Бойлстон-стрит.

Джулия и Салли собирались на работу.

— Как прошло вчерашнее свидание с Генри? — спросила Салли.

— Как обычно.

— Так плохо? Объявление о свадьбе еще не напечатано?

— Господи, да нет же. Генри очень мил, но... — Она вздохнула. — Он мне не подходит.

— Возможно, не подходит, — кивнула Салли. — А что ты скажешь об этом? — Она протянула ей пять конвертов.

Счета. Джулия вскрыла все. На трех пометка «ПРОСРОЧЕНО», на одном — «третье напоминание». Джулия долго вертела их в руках.

— Салли, не могла бы ты...

Салли изумленно уставилась на нее.

— Что-то я тебя не понимаю.

— О чем ты?

— Ты вкалываешь, как раб на галерах, и все же не можешь оплатить свои счета, а тебе надо-то лишь шевельнуть пальчиком, чтобы получить несколько миллионов долларов.

— Это не мои деньги.

— Как раз это твои деньги! — бросила Салли. — Гарри Стенфорд — твой отец, не так ли? Ergo *, ты имеешь полное право на часть наследства. И я не часто употребляю слово «ergo».

— Забудь об этом. Я же рассказывала тебе, как он обращался с моей матерью. Он не оставил мне ни цента.

Салли вздохнула.

— Будь я проклята! А я-то думала, что мне удастся пожить рядом с миллионершей!

Они продолжали спорить и по пути на автостоянку, где держали свои машины. Но вместо автомобиля Джулия нашла пустой прямоугольник асфальта.

— Его нет!

— Ты уверена, что вчера вечером поставила здесь машину?

— Да.

— Ее украли!

---

* Следовательно (*лат.*).

Джулия покачала головой.

— Нет.

— Что значит нет?

Она повернулась к Салли.

— Должно быть, «тойоту» забрал дилер, у которого я ее покупала. Я давно просрочила очередной взнос.

— Изумительно, — покачала головой Салли. — Чудеса да и только.

Ситуация, в которой оказалась Джулия, не выходила у Салли из головы. «Все как в сказке, — думала она. — Принцесса, которая не знает, что она принцесса. Однако в нашем случае она это знает, но слишком горда, чтобы совершить какие-то телодвижения. Это несправедливо! Семья загребает все деньги, а Джулия не получает ничего. Что ж, если Джулия ничего не хочет делать, придется поработать за нее. Потом она еще будет меня благодарить».

В тот же вечер, когда Джулия ушла на свидание с Генри, Салли вновь просмотрела содержимое коробки. Взяла недавнюю газетную вырезку. В заметке говорилось, что после похорон наследники Гарри Стенфорда какое-то время проведут в Роуз-Хилл.

«Если принцесса не хочет идти к ним, — решила Салли, — им придется прийти к принцессе».

Она села за стол и написала письмо, адресовав его судье Тайлеру Стенфорду.

Глава 21

Тайлер Стенфорд подписал направление, определяющее Марго Познер в закрытую психиатрическую больницу в Риде. Для его вступления в силу требовались подписи трех психиатров, но Тайлер знал, что получить их не составит труда.

Мысленным взором он окинул проделанное с самого начала и не нашел ни одной ошибки. Дмитрий исчез в Австралии, Марго Познер навсегда останется в психушке. Оставался Хол Бейкер, но от него Тайлер сюрпризов не ждал. У каждого своя ахиллесова пята, у Бейкера — это семья. Нет, Бейкер не заговорит никогда. Его бросает в дрожь при мысли о том, что он угодит в тюрьму и дети будут расти без него.

Ну до чего же все хорошо! «Как только завещание будет признано судом, — думал он, — я возвращаюсь в Чикаго и забираю Ли. Может, мы купим домик в Сен-Тропезе. Почему нет? И отправимся в кругосветное путешествие на яхте. Мне всегда хотелось увидеть Венецию... Позитано... Капри... Мы поохотимся в Кении. Вместе будем любоваться Тадж-Махалом при лунном свете. И кого я должен за это благодарить? Папочку.

Дорогого папочку. «Ты «голубой», Тайлер, и всегда будешь «голубым». Я не понимаю, как у меня мог родиться такой сын». Что ж, так кто у нас смеется последним, отец?»

Тайлер спустился вниз, чтобы присоединиться к брату и сестре. Подошло время ленча. Он вновь проголодался.

— Жаль, что Джулии пришлось так быстро уехать, — вздохнула Кендолл. — Мне бы хотелось получше узнать ее.

— Я уверен, что она вернется, как только сможет, — вставил Марк.

«Это точно, — подумал Тайлер. — Только я позабочусь о том, чтобы она не вернулась никогда».

Разговор шел главным образом о будущем.

— Вуди собирается купить стадо пони, — потупившись, внесла свою лепту Пегги.

— Не стадо! — рявкнул Вуди. — Конюшню. Конюшню пони для поло.

— Извини, дорогой. Я...

— Да ладно!

Тайлер повернулся к Кендолл.

— У тебя какие планы?

«...мы рассчитываем на Вашу дальнейшую поддержку... Мы будем Вам очень признательны, если в течение ближайших десяти дней Вы переведете 1 миллион долларов на наш счет в...»

— Кендолл?

— А? Я собираюсь... расширить свое дело. Я открою магазины в Лондоне и Париже.

— Как это интересно! — воскликнула Пегги.

— Через две недели я показываю в Нью-Йорке новую коллекцию. Мне надо поехать туда, чтобы проследить, как идет подготовка. — Кендолл посмотрела на Тайлера. — А как ты используешь свою долю?

Тайлер поджал губы.

— Главным образом на благотворительность. Так много достойных организаций, которым просто необходимо помочь.

К разговору за столом Тайлер особо не прислушивался. Посмотрел на брата, сестру. «Если б не я, — подумал он, — они бы ничего не получили. Ничего!»

Вуди. Брат стал наркоманом, погубил свою жизнь. Деньги ему уже не помогут. Разве что появится возможность не ограничивать себя в дьявольском зелье. «Интересно, — гадал Тайлер, — кто поставляет ему эту отраву?»

Кендолл. Умная, добившаяся успеха. Она смогла реализовать заложенные в ней природой таланты.

Марк сидел рядом с ней и рассказывал Пегги забавный анекдот. «Симпатичный парень, — подумал Тайлер. — Жаль только, что женатый».

И Пегги. Тайлер воспринимал ее лишь как Бедную Пегги и никак не мог понять, почему она остается с Вуди. Должно быть, очень сильно любит его. Уж она-то не видит от семейной жизни ничего хорошего.

Тайлер представил себе, что будут выражать их лица, если он встанет и скажет: «Я контролирую «Стенфорд энтерпрайзез». Я убил нашего отца, приказал выкопать его тело и подсунул вам лжесестру». Эта мысль заставила его улыбнуться. Ну очень тяжко хранить такой секрет.

После ленча Тайлер поднялся к себе, чтобы позвонить Ли. Трубку не сняли. «Он с кем-то ушел, — в отчаянии думал Тайлер. — Он мне не верит. Ему кажется, что яхту я могу купить только в мечтах. Я ему докажу, что денег у меня хватит на десяток яхт! И когда только суд утвердит это чертово завещание? Надо позвонить Фитцджералду или этому молодому адвокату, Стиву Слоуну».

В дверь постучал Кларк.

— Прошу меня извинить, судья Стенфорд. Вам письмо.

«Наверное, от Кейта Перси, — подумал Тайлер, — с поздравлениями».

— Благодарю, Кларк. — Он взял конверт. Обратный адрес — Канзас-Сити. Тайлер долго смотрел на конверт, затем разорвал его, развернул лист бумаги, начал читать.

«Дорогой судья Стенфорд! Я думаю, Вы должны знать, что у Вас есть сводная сестра по имени Джулия. Она дочь Розмари Нелсон и Вашего отца. Она живет в Канзас-Сити. Ее адрес: 1425 Меткалф-авеню, квартира 3В, Канзас-Сити, Канзас.

Я уверена, Джулия будет рада получить от Вас весточку.

Искренне Ваша доброжелательница».

У Тайлера все поплыло перед глазами, его прошиб холодный пот.

— Нет! — выкрикнул он. — Нет!

Может, она тоже мошенница. Но в душе он чувствовал, что речь идет о настоящей Джулии. «И теперь эта сука приедет, чтобы потребовать свою долю наследства, — мелькнуло у него в голове. — Мою долю, — тут же поправил себя Тайлер. — Ей она не принадлежит. Я не могу допустить ее появления здесь. Она все испортит. Придется объясняться насчет второй Джулии... — По его телу пробежала дрожь. — Придется о ней позаботиться. И быстро».

Тайлер схватил телефонную трубку и набрал номер Хола Бейкера.

Глава 22

Дерматолог покачал головой.

— Мне приходилось сталкиваться с аналогичными жалобами, но в вашем случае болезнь зашла очень далеко.

Хол Бейкер почесал руку и кивнул.

— Видите ли, мистер Бейкер, причин, вызывающих зуд, только три. Грибок, аллергия и нейродермит. Я рассмотрел под микроскопом соскоб с вашей руки. Это не грибок. И вы говорили, что никогда не работали с химикалиями...

— Совершенно верно.

— Значит, остается только одна причина. У вас lichen simplex chronicus, или ограниченный нейродермит.

— Похоже, это что-то ужасное. Вы можете мне помочь?

— К счастью, да. — Дерматолог взял из шкафчика тюбик, отвернул крышку. — Сейчас рука чешется?

Хол Бейкер вновь почесал руку.

— Да. И такое ощущение, будто горит.

— Я хочу, чтобы вы смазали руку этой мазью.

Хол Бейкер выдавил из тюбика немного мази, начал втирать в руку. Подействовала она мгновенно.

— Зуд пропал! — воскликнул Бейкер.

— Отлично. Пользуйтесь этой мазью, и вы забудете о нейродермите.

— Спасибо вам, доктор. Вы и представить себе не можете, какое это облегчение.

— Я выпишу вам рецепт. А этот тюбик можете взять с собой.

— Премного вам благодарен.

По пути домой Хол Бейкер насвистывал какой-то веселый мотив. Впервые после встречи с судьей Тайлером Стенфордом у него не чесалась рука. Этот зуд просто доконал его. Все еще насвистывая, Хол Бейкер поставил машину в гараж, прошел на кухню. Поцеловал Элен.

— Тебе звонили. Некий мистер Джонс. Сказал, по срочному делу.

Снова зачесалась рука.

Он причинял вред людям, но делал это из любви к детям. Он совершал преступления, но только ради семьи. Ранее Хол Бейкер не верил, что занимается неправедным делом. Сейчас ему предлагали другое. Хладнокровное убийство.

И впервые на просьбу Тайлера он ответил отказом.

— Я не могу этого сделать, судья. Вы должны найти кого-то еще.

Последовало короткое молчание.

— А как же семья? — донеслось с другого конца провода.

В Канзас-Сити Хол Бейкер долетел без проблем. От судьи Стенфорда он получил подробные инструкции. «Ее зовут Джулия Стенфорд. У тебя есть ее адрес и номер квартиры. Тебя она не ждет. Всего и делов-то прийти и разобраться с ней».

В аэропорту он взял такси и попросил отвезти его в центр Канзас-Сити.

— Прекрасный день. — Водитель, похоже, попался разговорчивый.

— Да.

— Откуда прилетели?

— Из Нью-Йорка. Я там живу.

— Вам повезло.

— Это точно. Мне нужно сделать в доме кое-какой ремонт. Высадите меня, пожалуйста, у хорошего хозяйственного магазина.

— Конечно.

Пять минут спустя Хол Бейкер стоял у прилавка.

— Мне нужен охотничий нож.

— Позвольте показать, что у нас есть, сэр. Сюда, пожалуйста.

Нож ему понравился. Лезвие длиной шесть дюймов, остро заточенное, удобная рукоятка.

— Подойдет?

— Несомненно.

— Заплатите наличными или кредитной карточкой?

— Наличными.

Из хозяйственного он отправился в магазин канцелярских принадлежностей.

Хол Бейкер несколько раз обошел дом 1425 по Меткалф-авеню, уделяя особое внимание расположению подъездов, служебным выходам. Затем прогулялся по городу и вернулся к восьми вечера, когда начало темнеть. Он резонно предположил, что Джулия Стенфорд работает, а ему надо было застать ее дома. Еще раньше он отметил, что швейцара в подъезде нет. Пройдя мимо лифта, Хол Бейкер поднялся на третий этаж по лестнице. Не хотелось лезть в маленькую кабину. Тем более что лифты имели тенденцию застревать между этажами. Квартира 3В находилась по левую руку от лифта. Нож Бейкер закрепил клейкой лентой во внутреннем кармане пиджака. Он нажал на кнопку звонка. Дверь тут же открылась. На пороге стояла миловидная женщина.

— Привет. — Обаятельная улыбка. — Чем я могу вам помочь?

Он не ожидал, что она такая молодая. «И чего судья Стенфорд захотел ее убить?» — спросил он себя. Впрочем, не его это дело. Бейкер достал визитную карточку и протянул женщине.

— Я работаю в «Эй-Си Нелсон компани»˙. В этом районе нет квартир, охваченных нашей службой, вот мы и ищем людей, которые согласились бы с нами сотрудничать.

Женщина покачала головой.

— Нет, мне это не подходит.

Дверь начала закрываться.

˙ ACN (A.C.Nielson) — компания, отделениями которой охвачены 23 страны. С 1950 г. занимается изучением мнения телезрителей. В США рейтинг Нелсона — главный критерий популярности телепередачи.

— Мы платим сто долларов в неделю.

Дверь застыла.

— Сто долларов в неделю?

— Да, мадам.

Дверь широко распахнулась.

— От вас требуется лишь одно: записывать названия телепередач, которые вы просмотрели. Контракт мы заключаем на один год.

Пять тысяч долларов!

— Заходите. — Женщина отступила в сторону.

Она провела его в гостиную.

— Присядьте, мистер...

— Аллен. Джим Аллен.

— Мистер Аллен. А почему вы выбрали меня?

— Наша компания предпочитает метод случайной выборки. Однако мы должны знать наверняка, что телезрители, с которыми мы заключаем контракт, никоим образом не связаны с телевидением. Поэтому тех, кто попал в наше поле зрения, мы проверяем более тщательно. Вы же не имеете никакого отношения ни к производству телепередач, ни к телестанциям, так?

Она рассмеялась.

— Господи, разумеется нет. И что я должна делать?

— Ничего особенного. Мы дадим вам таблицу со списком всех телевизионных передач. Вам останется лишь отмечать те передачи, которые вы смотрите. Таблицы эти поступают в наш компьютерный центр. И по результатам их обработки выясняется, сколько зрителей смотрят ту или иную передачу. Эти данные с большой степенью достоверности позволяют судить о том, в каких регионах и у каких категорий зрителей популярны те или иные передачи. Вы хотели бы с нами сотрудничать?

— Да.

Он достал несколько бланков, ручку.

— Сколько часов в день вы смотрите телевизор?

— Не так уж и много. Я весь день на работе.

— Но телевизор вы смотрите?

— Да, конечно. Вечерний выпуск новостей, иногда старый фильм. Мне нравится Ларри Кинг.

Он сделал пометку.

— Вы смотрите образовательные программы?

— Пи-би-эс[*] по воскресеньям.

— Между прочим, вы живете одна?

— Квартиру мы снимаем вдвоем с подругой, но ее сейчас нет.

«Значит, они в квартире одни», — отметил Бейкер. Вновь зачесалась рука. Он сунул руку во внутренний карман, чтобы отлепить клейкую ленту. Услышал шаги в коридоре. Вытащил руку.

— Так вы говорите, я получу пять тысяч долларов только за то, что в течение года буду смотреть телепередачи и заполнять ваши таблицы?

— Совершенно верно. Кстати, мы дадим вам новый цветной телевизор.

— Это фантастика!

Шаги стихли. Он вновь сунул руку в карман, обхватил пальцами рукоятку ножа.

— Вас не затруднит налить мне стакан воды?

---

[*] «Паблик бродкастинг систем».

— Конечно. — Она направилась к маленькому бару в углу.

Он двинулся следом, вытащив нож из чехла.

— Моя подруга смотрит Пи-би-эс чаще, чем я.

Он поднял нож, готовый ударить.

— И интеллектуальный уровень у Джулии повыше.

Рука Бейкера застыла в воздухе.

— У Джулии?

— Джулия — моя подруга. Мы живем в этой квартире. Только сейчас ее нет. Уехала. Оставила мне записку. — Женщина обернулась со стаканом минеральной воды, увидела его поднятую руку с ножом. — Что...

Она закричала. Бейкер повернулся и бросился к двери.

Хол Бейкер позвонил Тайлеру Стенфорду.

— Я в Канзас-Сити, но девушки здесь нет.

— Что значит нет?

— Ее подруга говорит, что она уехала.

Судья помолчал, обдумывая новую информацию.

— У меня предчувствие, что она отправилась в Бостон. Немедленно возвращайся.

— Да, сэр.

Тайлер Стенфорд бросил трубку на рычаг, закружил по комнате. Как же хорошо все складывалось! Джулию надо найти и уничтожить. Она как висящее на стене во время спектакля ружье, которое обязательно должно выстрелить. Тайлер понимал, что, пока Джулия жива, покоя ему не будет. «Я должен ее найти, — думал Тайлер. — Должен! Но где?»

Кларк вошел в комнату. На его лице отражалось недоумение.

— Извините, судья Стенфорд. Приехала некая мисс Джулия Стенфорд. Она хочет вас видеть.

Глава 23

К поездке в Бостон Джулию подтолкнула Кендолл. Как-то возвращаясь с ленча, Джулия проходила мимо магазина дорогой женской одежды и увидела в витрине платье из коллекции Кендолл. «Это моя сестра, — подумала Джулия. — Я не могу винить ее в том, что произошло с моей матерью. Не могу я винить и братьев». И внезапно ее охватило неодолимое желание повидать их, встретиться с ними, поговорить, наконец-то обрести семью.

Вернувшись на работу, она сказала Максу Толкину, что ей надо уехать на несколько дней, и, перешагнув через гордость, добавила: «Если возможно, я бы хотела получить часть моего жалованья авансом».

Толкин улыбнулся.

— Нет проблем. Вам же положен отпуск. Вот деньги. Желаю вам хорошо провести время.

«Я еду в Бостон, чтобы хорошо провести время, — спрашивала себя Джулия, — или допускаю ужасную ошибку?» Домой Джулия приехала раньше Салли. «Ждать не буду, — решила Джулия. — Если не уеду сейчас, не уеду никогда». Она собрала чемодан, оставила записку и выскочила из квартиры.

По пути к автовокзалу Джулия засомневалась: «Что же я делаю? Почему приняла столь внезапное решение?» Она усмехнулась. Внезапное? Потребовалось четырнадцать лет, чтобы принять его! Она очень волновалась. Какими окажутся ее родственники? Она знала, что один из ее братьев — судья, второй — известный игрок в поло, а сестра — знаменитый модельер. «Они многого добились в жизни, — думала Джулия, — не то что я. Надеюсь, они не будут смотреть на меня свысока». От этих мыслей о своей семье у нее учащенно забилось сердце. Она села в «грейхаунд»[*], с нетерпением ожидая прибытия в Бостон.

В Бостоне, на Саут-стейшн, Джулия взяла такси.

— Куда едем, мадам? — спросил водитель.

Джулия стушевалась. Она хотела сказать: «В Роуз-Хилл», — но у нее вырвалось: «Я не знаю».

Таксист обернулся.

— Я, между прочим, тоже.

— А мы не можем просто поездить по городу? Я в Бостоне впервые.

Он кивнул.

— Как скажете.

Они поехали на запад по Саммер-стрит, пока не поравнялись с Бостон Коммон.

— Старейший общественный парк Соединенных Штатов, — прокомментировал водитель. — Раньше здесь вешали преступников.

А в ушах Джулии звучал голос матери: «Зимой я

---

[*] Автобус компании с одноименным названием, специализирующейся на междугородных пассажирских перевозках.

часто ходила с детьми в Коммон. Мы катались на коньках. Вуди был прирожденным спортсменом. Я бы очень хотела, чтобы ты познакомилась с ним. Он был такой симпатичный. Я всегда думала, что из всех троих он достигнет наибольших успехов».

Казалось, мать едет рядом с ней. Вот и Чарлз-стрит, вход в Паблик Гарден.

— Видите этих бронзовых уток? Хотите верьте, хотите нет, но у всех них есть имена. «Мы устраивали пикники в Паблик Гарден. Там у входа такие забавные бронзовые утки. Их зовут Джек, Кэк, Лэк, Мак, Нак, Уак, Пак и Квак». Джулии эти клички казались очень забавными, и она снова и снова просила мать повторить их.

Джулия взглянула на счетчик. Поездка на такси влетала в копеечку.

— Не могли бы вы порекомендовать мне недорогой отель?

— С удовольствием. Как насчет отеля «Площадь Копли»?

— Вас не затруднит отвезти меня туда?

— Нет проблем.

Через пять минут такси остановилось перед отелем.

— Желаю вам хорошо провести время в Бостоне.

— Благодарю.

«Уж и не знаю, что меня ждет, — подумала она. — То ли я действительно хорошо проведу время, то ли эти дни станут самыми мрачными в моей жизни».

Она расплатилась с водителем, вошла в отель и направилась к молодому портье за стойкой.

— Добрый день, — поздоровался он. — Чем я могу вам помочь?

— Я бы хотела снять номер.

— На одного человека?

— Да.

— Как долго вы намерены оставаться у нас? Она помялась. «Час? Десять лет?»

— Я не знаю.

— Понятно. — Он взял ключ из одной из ячеек. — Ваш номер на четвертом этаже. Уверен, он вам понравится.

— Благодарю.

Изящным почерком она написала в регистрационной книге: «Джулия Стенфорд».

Портье протянул ей ключ.

— Рад, что вы выбрали наш отель. Отличного вам отдыха.

Номер ей достался маленький, но уютный и чисто прибранный. Распаковав вещи, она сразу же позвонила Салли.

— Джулия? Господи! Где ты?

— В Бостоне.

— С тобой все в порядке? — В голосе Салли слышались истерические нотки.

— Да. А что?

— Какой-то человек приходил к нам, искал тебя и, я думаю, хотел тебя убить.

— Что ты такое говоришь?

— У него был нож и... видела бы ты его лицо... — От волнения у Салли перехватило дыхание. — Когда он понял, что я — это не ты, он убежал.

— Я не могу поверить.

— Он сказал, что работает в «Эй-Си Нелсон», но я позвонила к ним, и мне ответили, что никогда о нем не слышали. Как, по-твоему, есть люди, которые хотели бы тебя убить?

— Разумеется, нет, Салли. Это нелепо! Ты позвонила в полицию?

— Да. Но что они могут сделать? Только посоветовали мне быть осторожнее и не открывать дверь незнакомым людям.

— Ясно. Со мной все в порядке, так что не волнуйся.

Салли шумно выдохнула.

— И слава Богу. Так бы и дальше. Джулия?

— Да.

- - Будь осмотрительнее, ладно?

— Разумеется.

«Ну и воображение у этой Салли. Зачем кому-то меня убивать?»

— Ты уже знаешь, когда вернешься?

Аналогичный вопрос, правда, сформулированный несколько иначе, задал ей и портье.

— Нет.

— Ты собираешься повидаться с семьей, так?

— Да.

— Удачи тебе.

— Спасибо, Салли.

— Держи меня в курсе.

— Обязательно.

Джулия положила трубку на рычаг. Постояла, гадая, что делать дальше. «Будь у меня голова на плечах, я бы села в автобус и уехала домой. Я просто тяну время. Я приехала в Бостон, чтобы осмотреть достопримечательности? Нет. Я приехала, чтобы встретиться с семьей. Собираюсь ли я с ней завтра встречаться? Нет... Да...»

Джулиа присела на краешек кровати, не зная, как поступить. «Вдруг они меня ненавидят? Прочь эти мысли. Они меня полюбят, а я полюблю их. — Она посмотрела на телефон. — Может, сначала позвонить? Нет. Они могут сказать, что не хотят меня видеть». Она подошла к стенному шкафу, выбрала лучшее платье. «Если я не поеду сейчас, — решила Джулия, — я не поеду никогда».

Тридцать минут спустя она ехала на такси в Роуз-Хилл на встречу с семьей.

Глава 24

Тайлер уставился на Кларка, не веря своим ушам.

— Джулия Стенфорд?

— Да, сэр. — В голосе дворецкого чувствовалось замешательство. — Но не та мисс Стенфорд, что побывала здесь раньше.

Тайлер выдавил из себя улыбку.

— Разумеется, нет. Боюсь, это самозванка.

— Самозванка, сэр?

— Да. Они пойдут косяком, Кларк, и все будут требовать свою долю наследства.

— Это ужасно, сэр. Мне позвонить в полицию?

— Нет, — быстро ответил Тайлер. Только полиции ему и не хватало. — Я разберусь сам. Пусть ее пригласят в библиотеку.

Мысли Тайлера наскакивали друг на друга. Значит, настоящая Джулия Стенфорд все-таки объявилась. Как хорошо, что сейчас в доме нет ни Кендолл, ни Вуди. Надо немедленно избавиться от нее.

Тайлер прошел в библиотеку. Джулия стояла посреди комнаты, не отрывая глаз от портрета Гарри Стенфорда. Тайлер оглядел женщину с головы до ног. Красавица. Как жаль, что придется...

Джулия обернулась, увидела его.

— Добрый день.

— Добрый день.

— Вы Тайлер.

— Совершенно верно. А кто вы?

Ее улыбка увяла.

— Разве?.. Я Джулия Стенфорд.

— Правда? Простите за прямой вопрос, но чем вы можете это доказать?

— Доказать? Ну да. Я... это... доказательств у меня нет. Просто я полагала...

Он шагнул к ней.

— Что привело вас сюда?

— Я решила, что пора повидаться с семьей.

— После двадцати шести лет разлуки?

— Да.

Глядя на нее, вслушиваясь в ее голос, Тайлер все понял. Это настоящая Джулия, а потому она опасна вдвойне. И избавиться от нее надо незамедлительно.

Тайлер криво улыбнулся.

— Вы, должно быть, понимаете, как я поражен вашим приездом. Столько лет мы о вас знать не знали, и вдруг...

— Я понимаю. Извините. Наверное, мне следовало позвонить.

— Вы приехали в Бостон одна? — ненавязчиво поинтересовался Тайлер.

— Да.

Он лихорадочно просчитывал варианты.

— Кто-нибудь знает о вашем приезде?

— Нет. Впрочем, Салли знает, моя подруга в Канзас-Сити. Мы на двоих снимаем квартиру.

— А где вы остановились?

— В отеле «Площадь Копли».

— Очень хороший отель. И какой у вас номер?

— Четыреста девятнадцатый.

— Хорошо. Почему бы вам не вернуться в отель? Мы сами свяжемся с вами. Я хочу подготовить Кендолл и Вуди. Они будут изумлены не меньше меня.

— Извините. Лучше бы я...

— Ничего страшного. Теперь, после нашей встречи, все уладится.

— Спасибо тебе, Тайлер.

— Рад твоему приезду... — он чуть не подавился следующим словом, — Джулия. Позволь вызвать тебе такси.

Через пять минут она отбыла.

Едва Хол Бейкер возвратился в отель, зазвонил телефон. Он снял трубку.

— Хол?

— Извините, но у меня нет ничего нового, судья. Я прочесал весь город. Побывал в аэропорту и...

— Она здесь, болван!

— Что?

— Она в Бостоне. Остановилась в отеле «Площадь Копли», номер четыреста девятнадцать. Я хочу, чтобы ты разобрался с ней сегодня вечером. И неудачи я не потерплю, понятно?

— В тот раз вины моей...

— Ты понял?

— Да, сэр.

— Тогда приступай! — Тайлер бросил трубку и отправился на поиски Кларка.

— Кларк, я насчет молодой женщины, которая выдавала себя за мою сестру.

— Да, сэр?

— Думаю, не надо рассказывать об этом неприятном инциденте Вуди и Кендолл. Они только расстроятся.

— Я понимаю, сэр. Вы абсолютно правы.

Обедать Джулия отправилась в «Риц-Карлтон». Мать не преувеличивала, когда восхищалась красотой отеля. «По воскресеньям я обычно приводила туда детей на бранч *». Джулия сидела в зале и представляла себе мать за одним столиком с Тайлером, Вуди и Кендолл. «Как жаль, что я не росла вместе с ними, — думала Джулия. — Но, по крайней мере, теперь уж я их увижу». Одобрила бы мать ее решение приехать в Бостон? Реакция Тайлера Джулию удивила. Очень уж холодно он воспринял ее приезд. «Но это естественно, — возразила она самой себе. — Заявляется совершенно незнакомая женщина и говорит: «Я ваша сестра». Поневоле должны возникнуть подозрения. Но я смогу убедить их, что я дочь Розмари Нелсон и Гарри Стенфорда».

Когда принесли чек, у Джулии округлились глаза. «Что-то я слишком сорю деньгами, — подумала она. — Если так пойдет и дальше, мне будет нечем оплатить обратную дорогу в Канзас-Сити».

Выйдя из «Риц-Карлтона», она увидела готовый к отъезду экскурсионный автобус и, повинуясь шестому чувству, поднялась в салон. Она хотела как можно больше узнать о городе своей матери.

---

* Поздний завтрак.

Хол Бейкер с уверенным видом вошел в вестибюль отеля «Площадь Копли» и по лестнице поднялся на четвертый этаж. На этот раз он твердо решил довести дело до конца. Подошел к двери с табличкой «419», огляделся. Коридор пуст. Достал из кармана связку отмычек. Через несколько секунд дверь распахнулась. Он вошел в номер, закрыл за собой дверь. Его встретила тишина.

— Мисс Стенфорд?

Он заглянул в ванную. Никого. Вернулся в спальню. Достал из кармана нож, поставил стул к стене у двери, сел. Оставалось только ждать. Прошло не меньше часа, прежде чем до него донеслись приближающиеся шаги.

Хол Бейкер поднялся, встал под дверью, сжимая в руке нож. В замке повернулся ключ. Дверь начала открываться. Он поднял нож над головой, готовый ударить. Джулия Стенфорд переступила порог, включила свет. Он услышал ее голос: «Будь по-вашему, заходите».

Следом за ней в номер ввалились репортеры.

Глава 25

Спас Джулию, сам того не зная, Гордон Уэллман, ночной менеджер отеля «Площадь Копли». Его смена началась в шесть вечера, и, как обычно, первым делом он просмотрел регистрационную книгу. Дошел до записи «Джулия Стенфорд», и его брови изумленно взлетели вверх. После смерти Гарри Стенфорда газеты только и писали о его наследниках. Вспомнили и давний скандал, вызванный романом Стенфорда с гувернанткой его детей, самоубийство жены Стенфорда. Незаконнорожденную дочь Стенфорда звали Джулия. Ходили слухи, что она тайно приезжала в Бостон. Отметилась в самых дорогих магазинах, а потом вроде бы улетела в Южную Америку. Теперь же вернулась вновь. «И остановилась в моем отеле», — едва не воскликнул Гордон Уэллман.

Он повернулся к портье.

— Ты знаешь, какая это реклама для нашего отеля?

Минуту спустя он уже висел на телефоне, обзванивая газеты и телекомпании.

Когда Джулия вернулась в отель после обзорной экскурсии по Бостону, в вестибюле толпились репортеры, которые накинулись на нее, едва она вошла в дверь.

— Мисс Стенфорд! Я из «Бостон глоб». Мы все время разыскивали вас, но нам сказали, что вы покинули город. Не могли бы вы...

На нее нацелилась телекамера.

— Мисс Стенфорд, я репортер У-си-ви-би-ти-ви.* Мы хотели ли бы услышать от вас...

— Мисс Стенфорд, я из «Бостон феникс». Нас интересует ваша реакция на...

— Посмотрите сюда, мисс Стенфорд! Благодарю вас.

То и дело щелкали вспышки. Джулия стояла, не зная, что делать. «Господи, — подумала она, — мои братья и сестра еще решат, что я приехала сюда ради дешевой рекламы». Она обвела взглядом репортеров.

— Извините, мне нечего вам сказать.

Джулия прошмыгнула в кабину лифта, но репортеры последовали за ней.

— Журнал «Пипл» хотел бы дать большую статью с историей вашей жизни. Нашим читателям интересно узнать, какие вы испытываете чувства, воссоединившись с семьей через двадцать пять лет...

— Мы слышали, что вы улетели в Южную Америку...

— Вы намерены жить в Бостоне?

— Почему вы не остановились в Роуз-Хилл?

Джулия вышла из лифта на четвертом этаже и поспешила к своему номеру. Репортеры не отставали. Она поняла, что ей от них никуда не деться.

Джулия достала ключ, открыла дверь и, переступив порог, включила свет.

* WCVB-TV — одна из бостонских телекомпаний.

— Будь по-вашему, заходите.

Скрытый дверью Хол Бейкер так и застыл с ножом в поднятой руке. Когда репортеры проскочили мимо, он торопливо сунул нож в карман и смешался с ними.

Джулия повернулась к репортерам.

— Хорошо. Только попрошу вас задавать вопросы по одному.

Бейкер попятился к двери и выскользнул в коридор. Он понимал, что судья Стенфорд по головке его не погладит. Джулия отвечала на вопросы полчаса. Наконец репортеры отбыли. Джулия заперла дверь и легла спать.

Утром газеты не пожалели места, а телекомпании — времени, чтобы во всех подробностях рассказать о приезде в Бостон Джулии Стенфорд.

Тайлер прочитал газеты и пришел в ярость. Вуди и Кендолл присоединились к нему за завтраком.

— Что это за женщина, которая называет себя Джулией Стенфорд? — спросил Вуди.

— Самозванка, — уверенно ответил Тайлер. — Вчера она приезжала сюда, но я ее прогнал. Я не ожидал, что она первым делом свяжется с прессой. Не волнуйтесь. Я обо всем позабочусь.

Он позвонил Саймону Фитцджералду.

— Вы видели утренние газеты?

— Да.

— Эта самозванка нагло объявила себя нашей сестрой.

— Вы хотите, чтобы я связался с полицией и попросил арестовать эту женщину? — спросил Фитцджералд.

— Нет! Зачем создавать ей дополнительную рекламу. Я хочу, чтобы вы выпроводили ее из города.

— Хорошо. Сделаю все, что в моих силах, судья Стенфорд.

— Заранее благодарю.

Саймон Фитцджералд вызвал к себе Стива Слоуна.

— Есть проблемы.

Стив кивнул.

— Я знаю. Я видел утренний выпуск новостей и успел просмотреть газеты. Кто она?

— Вероятно, самозванка, которая намеревается отщипнуть кусок от наследства Гарри Стенфорда. Судья Стенфорд хочет, чтобы мы выпроводили ее из Бостона. Ты можешь этим заняться?

— С удовольствием, — мрачно ответил Стив.

Часом позже Стив стучался в номер Джулии. Когда Джулия открыла дверь и увидела незнакомого мужчину, у нее вырвалось:

— Извините, я больше не хочу говорить с репортерами. Я...

— Я не репортер. Можно войти?

— Кто вы?

— Меня зовут Стив Слоун. Я работаю в адвокатской конторе, представляющей интересы Гарри Стенфорда.

— Ага. Понятно. Заходите.

Стив прошел в номер.

— Вы заявили журналистам, что вы Джулия Стенфорд?

— К сожалению, они захватили меня врасплох. Я не ожидала встречи с ними и...

— Но вы заявили, что Гарри Стенфорд — ваш отец?

— Да. Я его дочь.

В его голосе слышалось пренебрежение.

— И у вас, разумеется, есть доказательства?

— Пожалуй, нет, — медленно ответила Джулия. — Доказательств у меня нет.

— Да перестаньте, — напирал Слоун. — Уж какие-то доказательства должны быть. — Он хотел, чтобы она запуталась в собственной лжи.

— Ничего у меня нет.

Слоун изумленно воззрился на нее. Эта женщина оказалась совсем не такой, как он представлял. Ее искренность просто обезоруживала. И в глазах читался ум. «Не может она быть такой дурой, чтобы объявлять себя дочерью Гарри Стенфорда, не имея никаких доказательств», — подумал он.

— Это плохо. Судья Стенфорд хочет, чтобы вы уехали из Бостона.

У Джулии округлились глаза.

— Что?

— Вы меня слышали.

— Но... я не понимаю. Я даже не встретилась с другим моим братом и сестрой.

«Похоже, она и дальше намерена блефовать», — решил Стив.

— Послушайте, я не знаю, кто вы и каковы ваши цели, но за все это вы можете угодить в тюрьму. Мы даем вам шанс. Ваши действия противозаконны. Так что выбирайте сами. Или вы выметаетесь из города и больше не беспокоите наследников Гарри Стенфорда, или мы отправим вас за решетку.

Джулия застыла, словно обратившись в статую.

— За решетку? Меня? Я... я не знаю, что и сказать.

— Решение принимать вам.

— Так они даже не хотят меня видеть?

— Это еще мягко сказано.

Она глубоко вздохнула.

— Хорошо. Если таково их желание, я возвращаюсь в Канзас. Обещаю вам, что больше они обо мне не услышат.

Канзас. Долгий же она проделала путь, а уезжать придется несолоно хлебавши.

— Мудрое решение. — Стив постоял, не отрывая от нее глаз, в некотором недоумении. — Что ж, прощайте.

Она не ответила.

Слоун сразу же зашел в кабинет Саймона Фитцджералда.

— Ты виделся с этой женщиной, Стив?

— Да, она отправляется домой.

Чувствовалось, что мысли его заняты другим.

— Хорошо. Я позвоню судье Стенфорду. Он будет доволен.

— Знаете, что меня тревожит, Саймон?

— Что?

— Собака не лаяла.

— Не понял?

— Один из рассказов о Шерлоке Холмсе. Ключ к разгадке надо искать в том, чего не случилось.

— Стив, какое отношение...

— Она приехала сюда без доказательств своего родства с Гарри Стенфордом.

Фитцджералд недоуменно уставился на него.

— Я тебя не понимаю. Именно это и должно убедить тебя...

— Наоборот. С чего бы ей приезжать сюда аж из Канзаса и заявлять во всеуслышание о том, что она дочь Гарри Стенфорда, не имея никаких подтверждений своих слов?

— Вокруг полно психов, Стив.

— Только не она. Жаль, что вы не видели ее. Тревожит меня и другое, Саймон.

— Что именно?

— Тело Гарри Стенфорда исчезло... Когда я захотел поговорить с Дмитрием Камински, он тоже исчез. Никто не знает, куда внезапно уехала первая Джулия Стенфорд.

Саймон Фитцджералд нахмурился.

— Что ты хочешь этим сказать?

Стив ответил после долгой паузы.

— По-моему, происходит что-то непонятное, требующее объяснений. Я хочу еще раз поговорить с этой женщиной.

Стив Слоун вновь вошел в отель «Площадь Копли» и направился к портье.

— Пожалуйста, соедините меня с мисс Джулией Стенфорд.

— К сожалению, мисс Стенфорд уже выписалась, — ответил портье.

— Она оставила свой новый адрес?

— Нет, сэр.

Стив стоял и злился на себя. Впрочем, сделать он уже ничего не мог. «Возможно, оно и к лучшему, — философски подумал он. — Может, она действительно самозванка. Но мы этого уже никогда не узнаем».

Он повернулся и вышел на улицу. Швейцар усаживал какую-то пару в такси.

— Извините, — обратился к нему Стив.

Швейцар обернулся.

— Желаете такси, сэр?

— Нет. Хочу задать вам вопрос. Вы видели, как сегодня утром мисс Джулия Стенфорд уходила из отеля?

— Разумеется, сэр. Все только и смотрели на нее. Она же знаменитость. Я поймал ей такси.

— Наверное, вы знаете, куда она поехала? — Неожиданно для себя он затаил дыхание.

— Конечно, сэр. Я сказал водителю, куда ее отвезти.

— И куда же? — нетерпеливо спросил Стив.

— К автовокзалу компании «Грейхаунд» на Саут-стейшн. Меня еще удивило, что такая богатая женщина...

— Поймайте мне такси.

На автовокзале его встретила толпа. «Она уехала», — в отчаянии подумал Стив. И тут же услышал конец передаваемого объявления: «...и Канзас-Сити». Стив поспешил к автобусам.

Он перехватил Джулию Стенфорд у двери, когда она собиралась подняться в салон.

— Постойте! — крикнул Стив.

Джулия обернулась. Он подскочил к ней.

— Я хочу с вами поговорить.

Она бросила на него сердитый взгляд и отвернулась.

— Больше мне нечего вам сказать.

Стив схватил ее за руку.

— Подождите! Нам действительно надо поговорить.

— Мой автобус уходит.

— Уедете на другом.

— Мой чемодан уже в багажном отделении.

Стив повернулся к шоферу.

— Эта женщина должна вот-вот родить. Достаньте ее чемодан. Быстро!

Шофер удивленно оглядел Джулию.

— Хорошо. — Он открыл багажное отделение.

— Который ваш, мадам?

Джулия всмотрелась в Стива.

— Вы хоть понимаете, что делаете?

— Нет, — без запинки ответил Стив.

Джулии потребовалось несколько секунд, чтобы принять решение.

— Вот этот, — указала она.

Водитель достал чемодан.

— Вызвать вам врача или машину «скорой помощи»?

— Нет. Справимся сами.

Стив подхватил чемодан, и они направились к стоянке такси.

— Вы завтракали? — спросил Стив.

— Я не голодна, — холодно ответила Джулия.

— И все-таки вам лучше перекусить. Вы же теперь кормите двоих, знаете ли.

Позавтракали они в «Джульене». Она сидела напротив Стива, наливаясь злостью. После того как официант отошел от столика, приняв их заказ, Стив нарушил затянувшееся молчание.

— Вот чего я не могу понять. На что вы рассчитываете, требуя часть наследства Гарри Стенфорда и не представляя никаких доказательств родства с ним?

Джулия бросила на него негодующий взгляд.

— Я приехала не для того, чтобы требовать часть наследства. Мой отец ничего не мог мне оставить. Я лишь хотела повидаться с братьями и сестрой. А вот они, судя по всему, такого желания не испытывают.

— Есть ли у вас документы... какие-нибудь бумаги, свидетельствующие о том, что вы дочь Гарри Стенфорда? Джулия подумала о куче газетных вырезок, оставшихся в ее квартире, и покачала головой.

— Нет. Ничего у меня нет.

— Я хочу, чтобы вы переговорили с одним человеком.

— Саймон Фитцджералд, — представил Стив своего босса и, помявшись, добавил: — А это...

— Джулия Стенфорд, — закончила за него Джулия.

— Присядьте, мисс. — По голосу Фитцджералда чувствовалось, что пока он видит в Джулии самозванку.

Да, у нее темно-серые глаза Стенфордов, но мало ли на свете людей с такими глазами.

— Так вы заявляете, что вы дочь Розмари Нелсон.

— Я ничего не заявляю. Я дочь Розмари Нелсон.

— А где сейчас ваша мать?

— Она умерла несколько лет тому назад.

— Это печально. Вы можете что-нибудь рассказать о ней?

— Нет. Не хочу я ничего рассказывать, — она встала. — Я хочу уехать отсюда.

— Послушайте, мы же пытаемся вам помочь, — вставил Стив.

Джулия повернулась к нему.

— Ой ли? Моя семья не желает меня видеть. Вы хотите сдать меня полиции. Такая помощь мне не нужна. — Она шагнула к двери.

— Подождите! — крикнул ей вслед Стив. — Если вы действительно та, за кого себя выдаете, вы должны иметь при себе хоть что-то, доказывающее ваше родство с Гарри Стенфордом.

— Я же сказала, доказательств у меня нет. Моя мать и я вычеркнули Гарри Стенфорда из нашей жизни.

— А как выглядела ваша мать? — спросил Саймон Фитцджералд.

— Она была красавицей.— Голос Джулии помягчел. — Самой прекрасной... — Тут она вспомнила. — У меня есть ее фотография. — Она сняла с шеи цепочку с маленьким, в форме сердечка, золотым медальоном и протянула Фитцджералду.

Он пристально взглянул на Джулию, потом раскрыл медальон. На одной стороне — фотография Гарри Стенфорда, на другой — Розмари Нелсон. Выгравиро-

ванная надпись: «Р.Н. С ЛЮБОВЬЮ ОТ Г.С.». И
дата — 1969.

Саймон Фитцджералд долго смотрел на медальон.

— Примите наши извинения, моя дорогая. — Он повернулся к Стиву. — Это Джулия Стенфорд.

Глава 26

Кендолл не могла выбросить из головы разговор с Пегги. У той, похоже, опустились руки. «Он хочет вылечиться. Очень хочет... Я так его люблю». Детский лепет.

«Ему требуется помощь, — думала Кендолл. — Серьезная помощь. Я должна что-то сделать. Он мой брат. Надо хотя бы поговорить с ним».

Кендолл разыскала Кларка.

— Мистер Вудро дома?

— Да, мадам. По-моему, он в своей комнате.

— Спасибо.

Ей вспомнилась сцена за столом, когда Пегги пришла с синяком под глазом. «Что случилось?» — «Я наткнулась на дверь...» Как она могла такое выносить? Кендолл поднялась наверх, постучалась в комнату Вуди. Ответа не последовало.

— Вуди?

Она открыла дверь и вошла. Комнату наполнял горький запах миндаля. Кендолл постояла, оглядываясь, затем направилась к ванной. Через распахнутую дверь она увидела Вуди, который выпаривал героин на алюминиевой фольге и вдыхал дым через соломинку.

Кендолл остановилась на пороге.

— Вуди...

Тот оглянулся, его губы разошлись в улыбке.

— Привет, сестричка!

Он вернулся к прерванному занятию.

— Ради Бога! Прекрати!

— Расслабься, сестричка. Знаешь, как это называется? Погоня за драконом. Видишь маленького дракончика, который шебуршится в дыму? — Он улыбался во весь рот.

— Вуди, мне надо с тобой поговорить.

— Конечно, сестричка. Чего ты от меня хочешь? Как я понимаю, не денег. Мы же миллиардеры! А почему ты такая печальная? На небе светит солнце, такой чудесный день! — Его глаза неестественно блестели.

Кендолл смотрела на него, переполненная состраданием.

— Вуди, у меня был разговор с Пегги. Она рассказала мне, как ты пристрастился к наркотикам в больнице.

Он кивнул.

— Да. В этом мне крепко повезло.

— Нет, не повезло. Это же ужасно. Ты хоть понимаешь, что делаешь со своей жизнью?

— Конечно. Живу на все сто процентов. И жалею тех, кому не довелось испытать таких ощущений.

Она взяла его за руку.

— Тебе нужна помощь.

— Мне? Зачем? У меня все отлично.

— Отнюдь. Послушай меня, Вуди. Мы говорим о твоей жизни, но речь идет не только о ней. Подумай о

Пегги. Все эти годы она живет как в аду и терпит все это лишь потому, что очень тебя любит. Ты уничтожаешь не только свою жизнь, но и ее. И с этим надо что-то делать, пока еще не поздно. Неважно, что заставило тебя пристраститься к наркотикам. Главное — отказаться от них.

Улыбка Вуди померкла. Он заглянул Кендолл в глаза, начал что-то говорить, но остановился.

— Кендолл...

— Что?

Вуди облизал губы.

— Я... я знаю, что ты права. Я хочу остановиться. Я пытался. Господи, как мне этого хотелось. Но я не сумел удержаться.

— А теперь сумеешь, — с жаром воскликнула она. — Обязательно сумеешь. Мы тебе поможем. Я и Пегги встанем с тобой плечом к плечу. Кто снабжает тебя героином, Вуди?

В его глазах застыло изумление.

— Бог мой! Так ты не знаешь?

Кендолл покачала головой.

— Нет.

— Пегги.

Глава 27

Саймон Фитцджералд еще долго разглядывал медальон.

— Я знал вашу мать, Джулия. Милая, обаятельная женщина. Она очень любила детей Стенфордов, а дети обожали ее.

— И она обожала их. Мама мне постоянно о них рассказывала.

— А случившееся с вашей матерью иначе как кошмаром и не назовешь. Вы и представить себе не можете, какой разразился скандал. Бостон в таких ситуациях становится маленькой деревней. Гарри Стенфорд повел себя отвратительно. И вашей матери не оставалось ничего иного, как уехать. — Он покачал головой. — Жизнь, должно быть, изрядно потрепала вас обеих.

— Маму да. Я думаю, несмотря ни на что, она до самой смерти продолжала любить Гарри Стенфорда. — Джулия повернулась к Стиву. — Я не понимаю, что происходит. Почему моя семья не захотела повидаться со мной?

Мужчины переглянулись.

— Попробую объяснить. — Стив помолчал, тщательно выбирая слова. — Совсем недавно в Роуз-Хилл приехала женщина, заявившая, что она Джулия Стенфорд.

— Но это же невозможно! — воскликнула Джулия. — Я...

Стив поднял руку, призывая к тишине.

— Я знаю. Семья наняла частного детектива, чтобы убедиться, что женщина говорит правду.

— И он выяснил, что она лжет.

— Нет. Он представил доказательства истинности ее слов.

Глаза Джулии едва не вылезли из орбит.

— Что?

— Детектив нашел отпечатки пальцев этой женщины, взятые при получении водительского удостоверения. Выдали его в Сан-Франциско, ей исполнилось семнадцать лет. Отпечатки полностью совпали с отпечатками пальцев женщины, называвшей себя Джулией Стенфорд.

Рассказ Стива вконец запутал Джулию.

— Но я... я никогда не бывала в Сан-Франциско.

— Джулия, — вмешался Фитцджералд, — судя по всему, идет реализация достаточно хитроумного плана, цель которого — отхватить достаточно большой кусок наследства Гарри Стенфорда. Ваше появление ставит этот план под угрозу срыва.

— Я в это не верю!

— Тот, кто этот план осуществляет, не может допустить, чтобы существовали две Джулии Стенфорд.

— Успеха тут можно добиться лишь одним способом: устранив вас с пути, — добавил Стив.

— Что значит «устранив»... — Она замолчал

вспомнив истерику Салли, глаза ее широко раскрылись. — Нет!

— О чем вы? — подался вперед Фитцджералд.

— Позавчера вечером, приехав в Бостон, я позвонила своей подруге, с которой мы снимаем квартиру. Ее всю трясло. Она сказала, что к нам приходил какой-то мужчина с ножом и пытался ее убить. Он думал, что она — это я! — У Джулии перехватило дыхание. — Кто... кто за этим стоит?

— Можно только строить догадки, но, боюсь, что это кто-то из членов семьи, наследников Гарри Стенфорда, — ответил Стив.

— Но... почему?

— Потому что на карту поставлено огромное состояние, а через несколько дней завещание будет признано вступившим в силу.

— Но я-то здесь при чем? Мой отец никогда не видел меня и ничего не мог мне оставить.

— Дело в том, — заговорил Фитцджералд, — что ваша доля наследства составит больше миллиарда долларов, если мы сумеем доказать, что вы дочь Гарри Стенфорда.

Джулия остолбенела, лишившись дара речи. И лишь после долгой паузы смогла выдохнуть:

— Миллиарда долларов?

— Совершенно верно. Но вашими деньгами хочет завладеть кто-то еще. Поэтому вам грозит опасность.

— Понятно. — Она встала, переводя взгляд с одного мужчины на другого, чувствуя, как ее охватывает страх. — Так что же мне делать?

— Я скажу, чего вам делать не надо, — ответил

Стив. — Вам нельзя возвращаться в отель. Вы должны спрятаться, исчезнуть, пока мы не выясним, что происходит.

— Я могу уехать в Канзас и...

— Мне кажется, вам лучше остаться здесь, Джулия, — перебил ее Фитцджералд. — Мы найдем, где вас спрятать.

— Вы можете остановиться в моем доме, — предложил Стив. — Никому и в голову не придет искать вас там.

Мужчины повернулись к Джулии. Она колебалась.

— Ну... ладно. Я согласна.

— Хорошо.

Джулия вздохнула.

— Ничего этого не было бы, если б мой отец не упал за борт.

— Я думаю, он не упал, — покачал головой Стив. — Судя по всему, его столкнули.

Они спустились на служебном лифте прямо в гараж и сели в автомобиль Стива.

— Я не хочу, чтобы вас кто-нибудь видел, — объяснил Стив. — На несколько дней вы должны исчезнуть.

— Как насчет ленча? — добавил он, когда они выехали на Стейт-стрит.

Джулия повернулась к нему, ее лицо осветила улыбка.

— Вы только и делаете, что кормите меня.

— Я знаю один маленький ресторанчик на Глочестер-стрит. Не думаю, что нас там засекут.

«Л'Эспалье» размещался в элегантном городском доме XIX века, из окон которого открывался прекрасный вид на Бостон. Как только Стив и Джулия вошли в зал, к ним устремился метрдотель.

— Добрый день. Сюда, пожалуйста. Только для вас. Прекрасный столик у окна...

— Если вы не возражаете, мы хотели бы сесть у стены, — прервал его Стив.

Метрдотель вытаращился на него.

— У стены?

— Да. Чтобы нас ничто не отвлекало.

— Разумеется. — Он повел их к угловому столику. — Сейчас я пришлю официанта. — Метрдотель взглянул на Джулию и тут же ослепительно улыбнулся. — О, мисс Стенфорд! Мы рады, что вы решили заглянуть в наш ресторан. Я видел вашу фотографию в газете.

Джулия повернулась к Стиву, не зная, что сказать.

— Господи! — воскликнул Стив. — Мы же оставили детей в машине! Давай заберем их! — Он посмотрел на метрдотеля. — Распорядитесь смешать нам два «мартини», очень сухих. Без оливок. Мы сейчас вернемся.

— Да, сэр. — Под его несколько удивленным взглядом они выскочили из ресторана.

— Что вы делаете? — на ходу спросила Джулия.

— Спасаюсь бегством. Он может позвонить в газеты, и тогда хлопот не оберешься. Поедем куда-нибудь еще.

Они нашли ресторан на Долтон-стрит, где и заказали ленч. За столиком Стив сидел, не сводя глаз с Джулии.

— Вам нравится ощущать себя знаменитостью? — спросил он.

— Пожалуйста, не шутите на эту тему. Быть знаменитостью далеко не так здорово, как могло бы показаться.

— Я понимаю. Извините. — С Джулией ему было очень легко. И он стыдился грубости, проявленной по отношению к ней при их первой встрече.

— Вы... вы действительно думаете, что моя жизнь в опасности, мистер Слоун? — спросила Джулия.

— Зовите меня Стив. К сожалению, да. Но лишь на несколько дней. К тому времени, когда завещание будет утверждено судом, мы уже узнаем, кто за этим стоит. А пока я позабочусь о вас.

— Благодарю. Я... я вам очень признательна.

Их взгляды встретились, и официант, направившийся было к столику, увидев выражение их лиц, остановился, решив, что мешать им не стоит.

— Вы впервые в Бостоне? — спросил Стив, когда они сели в машину.

— Да.

— Интересный город. — Они как раз проезжали мимо Джон-Хэнкок-Билдинг. Стив указал на венчающую здание башенку. — Видите этот маяк?

— Да.

— Он знакомит жителей города с прогнозом погоды.

— Как может маяк?..

— Я рад, что вы задали этот вопрос. Если свет синий, ожидается ясный день. Если маяк мигает синим, значит, скоро набегут облака. Красный свет означает скорый дождь, мигающий красный — снег.

Джулия рассмеялась. Они подъехали к Гарвард-бридж. Стив сбросил скорость.

— Этот мост соединяет Бостон и Кембридж. Его длина ровно триста шестьдесят четыре и четыре десятых смутса плюс одно ухо.

Джулия повернулась к нему.

— Не поняла.

— Один смутс — мера длины, равная росту Оливера Рида Смутса, то есть пяти футам и семи дюймам. Началось все с шутки, но, когда город перестраивал мост, длину моста оставили без изменений. Смутс стал стандартом длины в 1958 году.

Джулия рассмеялась.

— Не может быть.

Когда они проезжали мимо памятника, воздвигнутого в честь битвы при Банкер-Хилл, Джулия воскликнула:

— О! Здесь проходила битва при Банкер-Хилл, не так ли?

— Нет, — ответил Стив.

— Как это нет?

— Битва при Банкер-Хилл проходила на Бридс-Хилл.

Стив жил на Ньюбюри-стрит, в очаровательном двухэтажном доме с удобной мебелью и красивыми картинами на стенах.

— Вы живете один? — спросила Джулия.

— Да. Домработница приходит дважды в неделю. Я

ей скажу, чтобы в ближайшие дни она не приходила. Никто не должен знать, что вы здесь.

Джулия повернулась к Стиву.

— Я очень тронута вашей заботой.

— Всегда рад помочь. Пойдемте. Я покажу вам вашу спальню.

Он отвел ее на второй этаж в комнату для гостей.

— Вот. Надеюсь, вам тут будет удобно.

— Да. Прекрасная комната.

— Продукты я куплю. Обычно я дома не ем.

— Я могла бы... — Она осеклась. — Пожалуй, не стоит. Моя подруга, с которой мы делим квартиру, говорит, что приготовленная мною еда опасна для жизни.

— Я умею управляться с плитой, — успокоил ее Стив. — И что-нибудь нам приготовлю. — Он посмотрел на Джулию и добавил: — Правда, мне давно уже не представлялся случай для кого-то готовить.

«Прекрати, — одернул он себя. — Это уже перебор. Ты же пригласил ее сюда не для того, чтобы ухаживать».

— Я хочу, чтобы здесь вы чувствовали себя как дома. У меня вы в полной безопасности.

Она долго смотрела на него. Потом улыбнулась.

— Спасибо вам.

Они спустились вниз. Стив устроил ей небольшую экскурсию по гостиной.

— Телевизор, видеомагнитофон, радиоприемник, проигрыватель компактов... Скучать вам не придется.

— Чудесно, — воскликнула Джулия, добавив про себя: «Мне с вами очень хорошо».

— Если больше вам ничего не нужно...

Джулия одарила его теплой улыбкой.

— По-моему, нет.

— Тогда я вернусь в контору. У меня много вопросов, ответы на которые еще надо найти.

Она проводила его взглядом.

— Стив?

Он обернулся.

— Что?

— Могу я позвонить моей подруге? Она будет волноваться.

Он покачал головой.

— Исключено. Никаких звонков. И из дома выходить вам нельзя. От этого, возможно, зависит ваша жизнь.

Глава 28

— Я доктор Уэстин. Вы понимаете, что наш разговор записывается на магнитофон?

— Да, доктор.

— Вы успокоились?

— Я спокойна, но зла.

— Почему вы злитесь?

— Мне тут не место. Я не сумасшедшая. Меня оговорили.

— О? И кто же вас оговорил?

— Тайлер Стенфорд.

— Судья Тайлер Стенфорд?

— Совершенно верно.

— Но зачем ему это нужно?

— Из-за денег.

— У вас есть деньги?

— Нет. Я хочу сказать, да... то есть... я могу их получить. Он обещал мне миллион долларов, соболью шубу, драгоценности.

— Почему судья Стенфорд все это вам обещал?

— Давайте начнем с самого начала. Я не Джулия Стенфорд. Меня зовут Марго Познер.

— По приезде сюда вы настаивали, что вы Джулия Стенфорд.

— Забудьте об этом. Никакая я не Джулия. Послушайте... Произошло следующее: судья Стенфорд нанял меня, чтобы я изобразила его сестру.

— Ради чего?

— Чтобы я получила долю наследства Гарри Стенфорда и отдала ему.

— И за это он обещал вам миллион долларов, соболью шубу и какие-то драгоценности?

— Вы мне не верите, не так ли? Что ж, я могу это доказать. Он привез меня в Роуз-Хилл. Это бостонское поместье Стенфордов. Я могу описать вам особняк, брата и сестру Тайлера Стенфорда.

— Вы понимаете, сколь серьезны выдвигаемые вами обвинения?

— Будьте уверены, понимаю. Но вы, наверное, не ударите пальцем о палец, потому что он судья.

— Вы совершенно не правы. Заверяю вас, что к вашим обвинениям отнесутся со всей серьезностью.

— Отлично! Я хочу, чтобы этого мерзавца засадили в камеру, как он засадил меня. Я хочу выбраться отсюда!

— Вы понимаете, что помимо меня еще двое моих коллег оценят ваше психическое состояние?

— Пусть оценивают. С головой у меня все в порядке.

— Доктор Гиффорд приедет во второй половине дня, а потом мы решим, как с вами поступить.

— Чем быстрее, тем лучше. Меня тошнит от этого заведения!

Медсестра принесла Марго ленч.

— Я только что говорила с доктором Гиффордом. Он прибудет через час.

— Благодарю вас.

«Пусть приходит, — думала она. — Пусть они все приходят. Когда я им все расскажу, они посадят его, а меня выпустят. — Мысль эта согрела душу. — Я выйду на свободу! — И тут же в голове мелькнула другая мысль: — Выйду-то выйду, но ради чего? Чтобы вновь торговать собой на улицах? Может, они вспомнят про мое освобождение на поруки и отправят в тюрьму?! — Миска с ленчем полетела в стену. — Черт бы их побрал! Не смогут они так поступить со мной! — Вчера я стоила миллион долларов, а сегодня... Постойте! Постойте! Новая идея. Святой Боже! Что я делаю? Уже доказано, что я Джулия Стенфорд. У меня есть свидетели. Вся семья слышала слова Френка Тиммонза. Идентичность отпечатков пальцев не оставляет сомнений в том, что я Джулия Стенфорд. Какого черта мне опять становиться Марго Познер, если уже установлено, что я Джулия Стенфорд? Неудивительно, что меня запихнули в психушку. Я и впрямь чокнулась!» Она вдавила в стену кнопку вызова медсестры.

Та открыла дверь.

— Я хочу немедленно поговорить с доктором! — воскликнула Марго.

— Я знаю. Он зайдет к вам...

— Немедленно! Прямо сейчас!

Медсестра не стала спорить, отметив крайнюю возбужденность Марго.

— Успокойтесь. Я его приведу.

Десять минут спустя доктор Франц Гиффорд вошел в палату Марго.

— Вы хотели меня видеть?

— Да. — Она потупила взгляд. — К сожалению, я сказала неправду вашему коллеге, доктор.

— Неужели?

— Да. Так уж вышло. Понимаете, я очень разозлилась на моего брата, Тайлера, и решила его наказать. Теперь я понимаю, что этого делать не следовало. Сейчас я спокойна и хочу вернуться домой, в Роуз-Хилл.

— Я прочитал распечатку вашей утренней беседы. Вы сказали, что вас зовут Марго Познер и вас оговорили...

Марго рассмеялась.

— Сказала. Для того, чтобы досадить Тайлеру. Нет. Я Джулия Стенфорд.

Доктор пристально смотрел на нее.

— Вы можете это доказать?

Этого вопроса и ждала Марго.

— Да! — победно воскликнула она. —Тайлер сам это доказал. Он нанял частного детектива, Френка Тиммонза, который сравнил мои отпечатки пальцев с теми, что у меня снимали для водительского удостоверения, когда я была моложе. Они идентичны. В этом сомнений нет.

— Вы сказали, детектив Френк Тиммонз?

— Совершенно верно. Он сотрудничает с чикагской прокуратурой.

Доктор по-прежнему не отрывал от нее взгляда.

— Вы в этом уверены? Вы не Марго Познер, а Джулия Стенфорд?

— Абсолютно.

— И доказать это может частный детектив Френк Тиммонз?

Она улыбнулась.

— Он это уже доказал. Вам надо лишь позвонить окружному прокурору и найти Тиммонза.

Доктор Гиффорд кивнул.

— Хорошо. Мы его найдем.

На следующее утро, в десять часов, доктор Гиффорд в сопровождении медсестры вернулся в палату Марго.

— Доброе утро.

— Доброе утро, доктор. —Она шагнула к нему. — Вы поговорили с Френком Тиммонзом?

— Да. Я хочу убедиться, правильно ли я вас понял. Вы оболгали судью Стенфорда, говоря, что он привлек вас к участию в противозаконном заговоре?

— Совершенно верно. Я сказала об этом, потому что хотела досадить своему брату. Но теперь я больше на него не сержусь. Я могу ехать домой.

— Френк Тиммонз сможет доказать, что вы Джулия Стенфорд?

— Несомненно.

Доктор Гиффорд повернулся к медсестре и кивнул. Та приоткрыла дверь, что-то сказала. В палату вошел высокий негр, смеривший Марго внимательным взглядом.

— Я Френк Тиммонз. Чем я могу вам помочь?

Она видела его впервые.

Глава 29

Показ коллекции идет на ура. Модели грациозно скользят по подиуму. Каждый новый наряд вызывает шквал аплодисментов. Зал забит до отказа. Заняты все места, позади стоят те, кому не хватило стульев.

За спиной какой-то шум. Кендолл поворачивается, чтобы посмотреть, в чем дело. К ней направляются двое полицейских.

Сердце Кендолл начинает учащенно биться.

— Вы Кендолл Стенфорд Рено? — спрашивает один из полицейских.

— Да.

— Вы арестованы по обвинению в убийстве Марты Райан.

— Нет! — кричит она. — Я не хотела! Это случайность! Пожалуйста! Пожалуйста! Пожалуйста...

Она проснулась, дрожа всем телом. Опять этот кошмарный сон. «Так не может продолжаться, — подумала Кендолл. — Не может! Надо что-то делать». Как ей недоставало Марка. Но ему пришлось возвращаться в Нью-Йорк.

— У меня работа, дорогая. Меня могут уволить.

— Я понимаю, Марк. Приеду через несколько дней. Надо готовить показ коллекции.

Кендолл уезжала в Нью-Йорк во второй половине дня, но утром решила поговорить с Пегги. Разговор с Вуди очень встревожил ее. Он же во всем винил Пегги!

Кендолл нашла Пегги на веранде.

— Доброе утро, — поздоровалась с ней Кендолл.

— Доброе утро.

Кендолл подвинула стул, села лицом к лицу к Пегги.

— Я должна с тобой поговорить.

— О чем?

— Я разговаривала с Вуди. Он совсем плох. Он... он заявляет, что именно ты снабжаешь его героином.

— Он так сказал?

— Да.

Долгая пауза.

— Что ж, это правда.

Кендолл не хотела верить своим ушам.

— Что? Я... я не понимаю. Ты же сказала, что пыталась заставить его отказаться от наркотиков. Почему же ты даешь ему героин?

— Вы, значит, не понимаете? — зло бросила Пегги. — Вы живете в своем маленьком поганом мирке. Так вот что я вам скажу, мисс Знаменитый Модельер! Я была официанткой, когда Вуди накачал меня. Я не ожидала, что Вудро Стенфорд женится на мне. Знаете, почему он это сделал? Хотел доказать себе, что он честнее отца. Что ж, Вуди женился. Но все относились ко мне, как к швали. Когда мой брат Хуп приехал на свадьбу, они повели себя так, будто он нищий.

— Пегги...

— По правде говоря, меня ошеломило предложение Вуди жениться на мне. Я даже не знала, его ли это ребенок. Я могла бы стать Вуди хорошей женой, но такого шанса мне не дали. Для всех я оставалась официанткой. Я не потеряла ребенка, а сделала аборт. Я думала, что теперь-то Вуди разведется со мной, так нет. Держа меня при себе, он показывал, какой он демократичный. И вот что я вам скажу. Мне это не нужно. Я ничуть не хуже его или вас.

От каждого слова Кендолл передергивало, как от пощечины.

— Ты хоть любила Вуди?

Пегги пожала плечами.

— Он был симпатичный, веселый, а потом его серьезно травмировали во время игры, и все изменилось. В больнице ему давали наркотики, чтобы снять боль. Врачи полагали, что после выхода из больницы они ему уже не потребуются, но ошиблись. Как-то вечером, когда он корчился от боли, я сказала: «У меня есть для тебя маленький подарочек». А потом он получал этот подарочек всякий раз, когда его начинала мучить боль. Со временем он пристрастился к героину, и мои подарочки требовались ему постоянно, болело у него что-то или нет. Мой брат торгует наркотиками, знаете ли, так что героин я могла получать в любом количестве. Иногда я говорила ему, будто героина больше нет, чтобы посмотреть, как он потеет и плачет, чтобы убедиться в очередной раз, что мистеру Вудро Стенфорду без меня не обойтись! Куда в такие моменты девалась его спесь. Случалось, я обставляла все так, что он меня бил, а потом вымаливал прощение, ползал передо мной на коленях, дарил подарки. Видите ли, когда Вуди не нужны наркотики, я для него не существую. Когда он без них обойтись не может, я для него — бог. Пусть он Стенфорд, а я простая официантка, но он полностью в моей власти.

Кендолл в ужасе смотрела на нее.

— Да, ваш брат пытался вылечиться. Когда ему становилось совсем плохо, друзья уговаривали его лечь в клинику. Я навещала его и видела, как «ломает» великого Стенфорда. И всякий раз, когда он возвращался домой, я ждала его с маленьким подарочком. И он снова становился моим.

— Да ты чудовище. — Кендолл переполняла ярость, слова давались ей с трудом. — Я хочу, чтобы ты уехала отсюда.

— Хочешь? Да я сама мечтаю о том, чтобы выбраться из вашего логова. — Пегги усмехнулась. — Разумеется, я уеду не с пустыми руками. Сколько вы готовы мне заплатить?

— К сожалению, слишком много. А теперь убирайся.

— Хорошо. Я попрошу своего адвоката позвонить вашему.

— Она действительно уезжает?

— Да.

— Это означает...

— Я знаю, что это означает, Вуди. Ты справишься?

Он посмотрел на сестру, улыбнулся.

— Думаю, да. Да. Думаю, справлюсь.

— А я в этом уверена.

Вуди глубоко вздохнул.

— Спасибо, Кендолл. У меня не хватило бы духу избавиться от нее.

Она улыбнулась.

— Для этого и нужны сестры.

В тот же день Кендолл уехала в Нью-Йорк. До показа коллекции оставалась неделя.

Бизнес, связанный с производством одежды, занимает в Нью-Йорке одно из первых мест. Популярный модельер может оказывать влияние на экономику всего мира. Каприз модельера иногда имеет далеко идущие последствия, отражается на благосостоянии как сборщиков хлопковых коробочек в Индии, так и шотландских ткачей или китайских и японских крестьян, занятых разведением шелкопрядов. Такие модельеры, как Донна Каран, Калвин Клайн, Ральф Лорен, могли заметно поднять или понизить валовой национальный продукт целых стран. А Кендолл уже встала с ними в один ряд. Поговаривали, что в номинации «Женская одежда» она главный претендент на звание «Модельер года», которое присуждалось советом модельеров. Более престижной награды для модельеров не существовало.

Кендолл Стенфорд Рено давно уже забыла, что такое свободное время. В сентябре она просматривала различные материалы, все то, из чего шьют одежду. В октябре выбирала те, что подходили для ее новых моделей. Декабрь и январь уходили на разработку фасонов, февраль — на уточнение деталей. В апреле она могла показать новую осеннюю коллекцию.

Компания «Кендолл Стенфорд дизайнс» находилась в доме 550 по Седьмой авеню. Для показа коллекции Кендолл сняла павильон в Брайант-Парк, рассчитанный на тысячу зрителей.

— У меня хорошие новости! — такими словами встретила Кендолл ее секретать Надин, когда та вошла в приемную. — Все места в павильоне раскуплены.

— Спасибо, — рассеянно ответила Кендолл. Думала она о другом.

— Между прочим, у вас на столе письмо с пометкой «Срочно». Его доставил посыльный.

По телу Кендолл пробежала дрожь. Она прошла в свой кабинет, посмотрела на конверт. Обратный адрес: «Ассоциация защиты диких животных, 3000 Парк-авеню, Нью-Йорк, штат Нью-Йорк». Она долго не отрывала взгляда от конверта. Дома 3000 по Парк-авеню не существовало.

Дрожащими пальцами Кендолл вскрыла письмо.

«Дорогая миссис Рено! Мой швейцарский банкир сообщил мне, что он еще не получил миллиона долларов, затребованного моей Ассоциацией. Учитывая Вашу необязательность, вынужден информировать вас, что наши потребности возросли до 5 миллионов долларов. После перечисления означенной суммы могу гарантировать Вам, что более не буду Вас беспокоить. У Вас есть пятнадцать дней, в течение которых Вы должны перевести деньги на наш счет. Если Вы этого не сделаете, нам не останется ничего другого, как связаться с заинтересованными инстанциями».

Подпись отсутствовала. Кендолл, охваченная паникой, вновь и вновь перечитывала письмо. ПЯТЬ МИЛЛИОНОВ ДОЛЛАРОВ! «Это невозможно, — думала она. — Мне никогда не найти таких денег. Какой же я была дурой!»

Вечером, когда Марк пришел с работы, Кендолл показала ему письмо.

— Пять миллионов долларов! — взорвался он. — Это нелепо! За кого они нас принимают?

— Они знают, кто я, — ответила Кендолл. — В этом и проблема. Мне надо быстро раздобыть деньги. Но как?

— Я не знаю... Может быть, какой-нибудь банк выдаст тебе такую ссуду под залог твоей части наследства, но я не представляю себе...

— Марк, речь идет о моей жизни. Нашей жизни! Надо сделать все, чтобы получить такую ссуду.

Джордж Мериуитер занимал пост вице-президента Нью-Йоркского объединенного банка. Лет сорока с небольшим, он начинал с должности младшего кассира и не считал, что достиг вершины. «Я еще стану членом совета директоров, — думал он, — а потом... Кто знает?» Размышления о радужном будущем прервало появление секретаря.

— Миссис Кендолл Стенфорд хочет поговорить с вами.

Рот Джорджа Мериуитера расплылся в широкой улыбке. Раньше Кендолл была просто хорошим клиентом, а теперь стала одной из богатейших женщин в мире. Он несколько лет пытался заполучить счет Гарри Стенфорда, но безуспешно. И вот...

— Пригласите ее, — распорядился Мериуитер.

Когда Кендолл вошла в кабинет, Мериуитер поднялся из-за стола и поспешил ей навстречу. Обаятельно улыбнулся, тепло пожал руку.

— Очень рад вас видеть. Присядьте. Хотите кофе или что-нибудь покрепче?

— Нет, благодарю.

— Хочу принести вам соболезнования в связи с кончиной вашего отца. — В голосе банкира слышалась подобающая случаю печаль.

— Благодарю вас.

— Чем я могу вам помочь? — Он знал, что услышит от нее. Она пришла, чтобы с его помощью инвестировать доставшиеся ей миллиарды долларов...

— Я хочу попросить у вас ссуду.

Он мигнул.

— Простите?

— Мне срочно нужно пять миллионов долларов.

Мысли Мериуитера лихорадочно заскакали, налезая друг на друга. Согласно газетным сообщениям, она унаследовала более миллиарда долларов. Даже с налогами...

Он улыбнулся.

— Что ж, я не думаю, что возникнут какие-то про-

317

блемы. Вы из тех клиентов, что пользуются у нас режимом наибольшего благоприятствования. Какой вы можете предложить залог?

— Я наследую состояние отца.

Он кивнул.

— Я читал об этом.

— Я бы хотела получить ссуду под залог моей доли наследства.

— Понятно. Завещание вашего отца еще не утверждено судом по делам о наследствах?

— Нет, но оно находится на рассмотрении.

— Вот и отлично. — Мериуитер наклонился вперед. — Разумеется, мы должны ознакомиться с копией завещания.

— Конечно, — энергично кивнула Кендолл. — Копию я вам предоставлю.

— И мы хотели бы знать точную сумму вашей доли наследства.

— Точная сумма мне неизвестна.

— Видите ли, банковские инструкции очень строги. Рассмотрение завещания в суде может и затянуться. Почему бы вам не прийти к нам после того, как завещание будет утверждено? Вот тогда я с удовольствием...

— Но деньги нужны мне сейчас. — В глазах Кендолл застыло отчаяние. Она с трудом сдерживала слезы.

— Дорогая, естественно, мы всей душой хотим вам помочь, — он развел руки, как бы показывая свое бессилие, — но, к сожалению, ничего не можем предпринять до того момента, пока...

Кендолл встала.

— Благодарю вас.

— Как только...

Она уже выходила из кабинета.

Едва Кендолл вернулась на работу, в кабинет влетела Надин.

— Я должна поговорить с вами.

Сейчас ей только не хватало проблем Надин.

— В чем дело?

— Мне только что позвонил муж. Его переводят в Париж. Так что я увольняюсь.

— Ты... уезжаешь в Париж?

Надин просияла.

— Да! Чудесно, не правда ли? Хотя мне жаль покидать вас. Но не волнуйтесь. Я буду вам звонить.

Значит, Надин! И нет возможности что-либо доказать.

Сначала норковое манто, теперь Париж. С пятью миллионами долларов можно жить где угодно. И что мне теперь делать? Если я скажу ей, что я ее вычислила, она будет все отрицать. Может, потребует большую сумму. Марк подскажет мне, как надо себя вести.

— Надин...

Вошла одна из помощниц Кендолл.

— Кендолл, я должна поговорить с вами о брючной коллекции. Мне кажется, нам надо добавить...

Кендолл не выдержала.

— Извините, мне что-то нехорошо. Я еду домой.

Помощница в изумлении вытаращилась на нее.

— Но ведь у нас...

— Извините...

И Кендолл ушла.

Ее встретила пустая квартира: Марк был на работе. Она обошла комнаты, любуясь тщательно подобранной мебелью, безделушками, привезенными со всего света. «Они не остановятся, не выдоив меня досуха, — решила она. — Не остановятся, пока не заберут все. Марк был прав. Мне в тот же вечер следовало пойти в полицию. А теперь я преступница. Мне надо признаваться в содеянном. Признаваться...»

Что будет с ней, с Марком, с семьей? Аршинные заголовки в газетах, суд, возможно, тюрьма. Конец карьеры. «Но и так дальше продолжаться не может, — подумала она. — Я же сойду с ума».

Словно в трансе, Кендолл направилась в кабинет Марка. Она помнила, что на полке стенного шкафа стоит портативная пишущая машинка. Достав ее, Кендолл поставила машинку на стол, сняла футляр, вставила в каретку чистый лист бумаги и начала печатать.

«Всем заинтересованным лицам!

Меня зовут Кендолл Стен...»

Она замерла. Буква «е» западала.

Глава 30

— Почему, Марк? Скажи мне, почему? — Голос Кендолл переполняла душевная боль.

— Все из-за тебя.

— Нет. Я говорила тебе... Это был несчастный случай. Я...

— Я не о несчастном случае. Речь идет о тебе! О жене, взлетевшей на гребень успеха, которая слишком занята, чтобы выкроить время для мужа.

Ей словно влепили пощечину.

— Это неправда. Я...

— Ты всегда думала только о себе, Кендолл. Куда бы мы ни ходили, ты старалась играть первую роль. А я тащился за тобой, как домашний пудель.

— Ты несправедлив!

— Неужели? Ты летаешь по всему миру, не пропуская ни одного показа мод ради того, чтобы твою фотографию лишний раз тиснули в газете, а я сижу дома один, дожидаясь тебя. Ты думаешь, мне нравилось быть «мистером Кендолл»? Нет, я хотел, чтобы у меня была жена. Но не жалей меня, дорогая Кендолл. Когда ты уезжала, я находил утешение в объятиях других женщин.

Ее лицо посерело.

— Это были настоящие женщины, из плоти и крови, у них находилось для меня время. А ты всего лишь раздутый пузырь, внутри которого пустота.

— Замолчи! — воскликнула Кендолл.

— Когда ты рассказала мне о том инциденте, я понял, как освободиться от тебя. Знаешь, что я тебе скажу? Я с наслаждением наблюдал, как тебя корежило, когда ты читала эти письма. Я хоть немного сумел отплатить тебе за те унижения, которым ты меня подвергала.

— Хватит! Собирай чемоданы и проваливай. Я больше не хочу тебя видеть!

Марк усмехнулся.

— Едва ли мы еще когда-нибудь свидимся. Между прочим, ты по-прежнему хочешь пойти в полицию?

— Убирайся! — выкрикнула Кендолл. — Немедленно!

— Я ухожу. Думаю, мне пора возвращаться в Париж. И, дорогая, я никому ничего не скажу, даже если ты не пойдешь в полицию. Ты в полной безопасности.

Час спустя он уехал.

В девять утра Кендолл позвонила Стиву Слоуну.

— Доброе утро, миссис Рено. Чем я могу вам помочь?

— Сегодня я прилетаю в Бостон. Я должна сознаться в...

Она сидела напротив Стива, бледная, подавленная. И никак не могла начать, словно потеряла дар речи. Стиву пришлось брать инициативу на себя.

— Вы сказали, что должны сознаться.

— Да. Я... я убила человека. — Она расплакалась. — Это был несчастный случай, но... я уехала. — Лицо Кендолл исказилось. — Уехала... и оставила ее на дороге.

— Успокойтесь. И давайте начнем с самого начала.

Тридцать минут спустя Стив стоял у окна, думая о только что услышанном.

— Вы хотите пойти в полицию?

— Да. Это следовало сделать сразу. Я... мне безразлично, что теперь со мной будет.

— Поскольку вы являетесь с повинной и это был несчастный случай, я думаю, суд отнесется к вам с пониманием.

Кендолл попыталась взять себя в руки.

— Я хочу поставить точку в этой истории.

— А ваш муж?

Она посмотрела на адвоката.

— Он-то здесь при чем?

— Шантаж — уголовно наказуемое деяние. У вас же есть номер счета в швейцарском банке, куда вы посылали деньги. По существу, он украл их у вас. Вам достаточно подать иск и...

— Нет! — отрезала Кендолл. — Я не хочу иметь с ним никаких дел. Пусть живет своей жизнью. Мне бы разобраться с моей.

Стив кивнул.

— Как скажете. Я поеду с вами в полицейский участок. Возможно, вам придется провести ночь за решеткой, но я позабочусь о том, чтобы вас выпустили под залог.

Кендолл слабо улыбнулась.

— Теперь я смогу сделать то, о чем раньше даже не задумывалась.

— Что же это?

— Разработаю коллекцию одежды в полоску.

Вечером, вернувшись домой, Стив рассказал Джулии о событиях прошедшего дня.

Джулия ужаснулась.

— Ее шантажировал муж? Какой кошмар, — она долго смотрела на Стива. — Как это здорово, всю жизнь помогать людям, попавшим в беду.

Стив отвел глаза, подумав: «Похоже, в нашей ситуации в беду попал я».

Стива Слоуна разбудил запах свежесваренного кофе и жарящейся ветчины. Он вскочил. Неужели пришла домработница? Ей же было сказано, что она может отдохнуть. Накинув халат и сунув ноги в шлепанцы, Стив поспешил на кухню.

Джулия готовила завтрак. Повернувшись к Стиву, она весело воскликнула:

— Доброе утро! Желаете глазунью или омлет?

— Э... омлет.

— Отлично. Омлет с ветчиной — мое фирменное блюдо. Должна признаться, единственное. Я же говорила вам, что готовить не умею.

Стив улыбнулся.

— Вам и не нужно уметь готовить. Теперь вы сможете нанять, если, конечно, захотите, две-три сотни поваров.

— Неужели я действительно получу так много денег, Стив?

— Да. Ваша доля наследства превысит миллиард долларов.

Она шумно сглотнула.

— Миллиард?.. Я в это не верю.

— Это правда.

— Да таких денег нет во всем мире, Стив.

— Правильно, их все собрал ваш отец.

— Я... я не знаю, что и сказать.

— Тогда позволите мне?

— Конечно.

— Омлет подгорает.

— О, извините! — Она сняла сковородку с горелки. — Я поджарю другой.

— Не надо. Обойдемся без омлета.

Она рассмеялась.

— Даже фирменное блюдо не удалось.

Свив достал из буфета коробку овсяных хлопьев.

— Как насчет холодного завтрака?

— Нет возражений.

Он насыпал хлопьев в две миски, добавил молока из пакета, что стоял в холодильнике, и они уселись за стол.

— А кто вам обычно готовит? — спросила Джулия.

— Вы имели в виду, живу ли я с кем-нибудь?

Джулия покраснела.

— Можно сказать, что да.

— Нет. Два года я встречался с одной женщиной, но как-то не сложилось.

— Мне очень жаль.

— А вы? — спросил Стив.

Она подумала о Генри Уэссоне.

— Вроде бы и у меня никого нет.

В его взгляде читалось любопытство.

— Вашему голосу недостает уверенности.

— Трудно это объяснить. Один из нас хочет жениться, а второй — нет.

— Понятно. После того, как все утрясется, вы намерены вернуться в Канзас?

— Честно говоря, еще не знаю. Тут все так необычно. Мама много рассказывала мне о Бостоне. Она здесь родилась, любила этот город. Вот и у меня такое чувство, будто я вернулась домой. Так жаль, что мне не удалось поближе узнать своего отца.

«Вот об этом сожалеть не стоит», — подумал Стив.

— А вы его знали?

— Нет. Он общался только с Саймоном Фитцджеральдом.

Они проговорили больше часа, их отношения становились все более дружескими. Стив рассказал Джулии о том, что произошло до ее приезда: о прибытии женщины, назвавшейся Джулией Стенфорд, о пустой могиле, об исчезновении Дмитрия Камински.

— Это невероятно! — ахнула Джулия. — И кто за всем этим стоит?

— Я не знаю, но пытаюсь это выяснить, — ответил Стив. — Не волнуйтесь, здесь вам ничто не грозит. Вы в полной безопасности.

Она улыбнулась.

— Я это чувствую. Спасибо вам.

Он хотел что-то добавить, но передумал. Взглянул на часы.

— Пора одеваться и на работу. Дел невпроворот.

Он сразу же заглянул в кабинет Фитцджералда.

— Есть успехи? — спросил тот.

Слоун покачал головой.

— Все покрыто мраком. Чувствуется рука гения. Я пытаюсь разыскать Дмитрия Камински. С Корсики он улетел в Париж, а оттуда — в Австралию. Я разговаривал с полицией Сиднея. Они изумились, узнав, что Камински у них. К ним поступил циркуляр из Интерпола, так что основания для розыска Камински у них есть. Я думаю, Гарри Стенфорд сам подписал себе смертный приговор, когда позвонил сюда и сказал, что хочет изменить завещание. Кто-то решил его остановить. Единственный свидетель случившегося в ту ночь на яхте — Дмитрий Камински. Когда мы его найдем, многое прояснится.

— Слушай, а не пора ли привлечь нашу полицию?— спросил Фитцджералд.

Слоун вновь покачал головой.

— Пока у нас лишь косвенные улики, Саймон. Наверняка мы знаем только об одном преступлении: кто-то вырыл тело Гарри Стенфорда. И опять же мы понятия не имеем, чьих это рук дело.

— А что ты выяснил насчет детектива, которого они наняли и который подтвердил подлинность отпечатков пальцев той женщины?

— Френк Тиммонз. Я трижды звонил ему, просил связаться со мной. Если он не позвонит мне до шести

327

вечера, я полечу в Чикаго. Мне кажется, он замешан в этом по уши.

— Кому, по-твоему, отошла бы часть наследства, которую намеревалась получить эта самозванка?

— Я предполагаю, что тот, кто за этим стоит, заставил ее подписать бумаги, по которым часть наследства отходила бы ему. Разумеется, не напрямую, а через липовые компании или фонды. Я убежден, что мы ищем одного из членов семьи... Думаю, Кендолл мы можем вычеркнуть из списка подозреваемых. — Он рассказал Фитцджералду о встрече с Кендолл. — Если бы все это задумала она, то в такой момент идти в полицию с признанием ей не с руки. Она бы подождала, пока суд признает завещание и она получит причитающуюся ей долю наследства. Я считаю, мы можем вычеркнуть и Марка. Он способен только на мелкий шантаж. На такой план ума у него не хватит.

— А остальные?

— Судья Стенфорд. Я спросил о нем у своего приятеля из чикагской коллегии адвокатов. Он говорит, что о судье Стенфорде все самого высокого мнения. Кстати, его только что назначили главным судьей округа Кука. В его пользу говорит и еще один факт: судья Стенфорд сразу предположил, что первая Джулия — самозванка. Он же настаивал на проверке ДНК. Я сомневаюсь, что убийство отца и все прочее — его работа. Кто меня интересует, так это Вуди. Я уверен, что он принимает наркотики, а стоят они недешево. Я навел справки о его жене Пегги. Умом ее бог обделил, ей такого не придумать, но ходят слухи, что ее брат имеет непосредственное отношение к распространению наркотиков. Тут надо покопаться.

Вернувшись в свой кабинет, Стив вызвал секретаря.

— Пожалуйста, найдите мне лейтенанта Кеннеди из бостонской полиции.

Несколько минут спустя на его столе зажужжал аппарат внутренней связи.

— Лейтенант Кеннеди на первой линии.

Стив взял трубку.

— Лейтенант, спасибо, что позвонили. Я Стив Слоун из адвокатской конторы «Ренкуист, Ренкуист и Фитцджералд». Мы пытаемся разыскать одного человека. Дело касается наследства Гарри Стенфорда.

— Мистер Слоун, если есть такая возможность, с удовольствием вам помогу.

— Вас не затруднит связаться с полицией Нью-Йорка и выяснить, нет ли у них досье на брата миссис Вудро Стенфорд. Зовут его Хуп Малкович. Он работает в пекарне в Бронксе.

— Нет проблем. Как только что-нибудь узнаю, сразу же перезвоню.

— Спасибо.

После ленча Саймон Фитцджералд заглянул в кабинет к Стиву.

— Как идет расследование?

— Я считаю, слишком уж медленно. Противник у нас сильный. Умеет заметать следы.

— Джулия держится?

Стив улыбнулся.

— Она прелесть.

Что-то в его тоне заставило Фитцджералда присмотреться к своему помощнику.

— Она очень симпатичная женщина.

— Я знаю, — вздохнул Стив. — Знаю.

Час спустя позвонили из Австралии.

— Мистер Слоун?

— Да.

— Старший инспектор Макферсон из Сиднея.

— Слушаю вас, старший инспектор.

— Мы нашли вашего человека.

Стив просиял.

— Чудесно! Я хочу, чтобы его немедленно отправили в Америку. Мы подготовим запрос...

— Думаю, спешить вам некуда. Дмитрий Камински мертв.

У Стива упало сердце.

— Что?

— Мы обнаружили тело. Ему отрубили пальцы, а потом пристрелили несколькими пулями.

«Эта группировка отличается особой жестокостью. Жертве отрубают пальцы, смотрят, как она истекает кровью, а какое-то время спустя пристреливают».

— Понятно. Благодарю вас, инспектор.

Тупик. Стив сидел, уставившись в стену. Все ниточки обрывались. А он так рассчитывал на показания Дмитрия Камински.

Его мысли прервало жужжание аппарата внутренней связи.

— Некий мистер Тиммонз на третьей линии.

Стив посмотрел на часы. Без пяти шесть. Взял трубку.

— Мистер Тиммонз?

— Да... Извините, что не смог позвонить раньше. Уезжал на два дня из города. Чем я могу вам помочь?

«Очень даже многим, — подумал Стив. — К примеру, рассказать, как подделал отпечатки пальцев».

— Я звоню насчет Джулии Стенфорд. Недавно вы побывали в Бостоне, проверили ее отпечатки пальцев и...

— Мистер Слоун...

— Да?

— Я никогда не бывал в Бостоне.

Стив глубоко вздохнул.

— Мистер Тиммонз, согласно регистрационной книге отеля «Холидей-Инн», вы...

— Кто-то воспользовался моим именем.

Стив совсем пал духом. Опять тупик, оборвалась последняя ниточка.

— Как, по-вашему, кто мог это сделать?

— История довольно-таки странная, мистер Слоун. Еще одна женщина заявила, что я приезжал в Бостон, чтобы идентифицировать ее как Джулию Стенфорд. Прежде я ее никогда не видел.

У Стива возродилась надежда.

— Вы знаете, кто она?

— Да. Ее фамилия Познер. Марго Познер.

Стив схватил ручку.

— Где мне ее найти?

— В закрытой психиатрической больнице в Риде.

— Премного вам благодарен. Вы мне очень помогли.

— Держите меня в курсе. Я хочу знать, что делается от моего имени. Кто-то ведь выдает себя за меня. Мне это не нравится.

— Хорошо, — Стив положил трубку.

Марго Познер.

Когда Стив вернулся домой, Джулия встретила его улыбкой.

— Я приготовила обед. Ну, не совсем приготовила. Вы любите китайские блюда?

Он тоже улыбнулся.

— Обожаю.

— Отлично. Концентратов у нас аж восемь коробок.

Когда Стив вошел в столовую, на столе стояли цветы и свечи.

— Есть новости? — спросила Джулия.

— Вроде бы да, — осторожно ответил Стив. — Кажется, я нашел женщину, которая выдавала себя за вас. Утром лечу в Чикаго, чтобы поговорить с ней. Завтра, похоже, у нас будут ответы на все вопросы.

— Так это прекрасно! — воскликнула Джулия. — Я рада, что мы так быстро покончим со всей этой неопределенностью.

— Я тоже, — кивнул Стив.

«А рад ли, — подумал он. — Она войдет в семью Стенфордов, и мне уже до нее не дотянуться».

Обедали они два часа, а потом едва ли смогли бы вспомнить, что ели. Они говорили обо всем и ни о чем, как два давнишних друга. Обсуждали прошлое и настоящее, избегая, однако, заглядывать в будущее.

«Общего будущего для нас нет», — с горечью отметил Стив. Наконец он с неохотой подвел черту.

— Пожалуй, нам пора в постель.

Она вскинула брови, и они оба рассмеялись.

— Я имел в виду...

— Я знаю, что вы имели в виду. Спокойной ночи, Стив.

— Спокойной ночи, Джулия.

Глава 31

На следующий день рано утром Стив Слоун вылетел в Чикаго. В аэропорту О'Хара он взял такси.

— Куда едем? — спросил водитель.

— В закрытую психиатрическую больницу в Риде.

Водитель обернулся, изучающе посмотрел на Стива.

— А вы нормальный?

— Да. А что?

— Ничего, я просто спросил.

Войдя в вестибюль больницы, Стив направился к охраннику. Тот поднял голову.

— Могу я вам чем-нибудь помочь?

— Да. Я хотел бы поговорить с Марго Познер.

— Она здесь работает?

Такая мысль не приходила Стиву в голову.

— Я не уверен.

Охранник пристально смотрел на Стива.

— Что значит, не уверены?

— Я лишь знаю, что она здесь.

Охранник достал из ящика стола список имен и фамилий. Проглядел его.

— Она здесь не работает. Может, она пациент?

— Я... я не знаю. Возможно.

Охранник вновь взглянул на Стива, вытащил из ящика компьютерную распечатку. Начал просматривать, на середине остановился.

— Познер. Марго.

— Совершенно верно. — В голосе Стива слышалось удивление. — Так она пациент?

— Вот-вот. А вы родственник?

— Нет.

— Боюсь, вам не удастся встретиться с ней.

— Но мне надо. Дело очень важное.

— Извините. Таковы правила. Если у вас нет предварительного разрешения на встречу, видеться с пациентами запрещено.

— А кто тут начальник? — спросил Стив.

— Я.

— Я имею в виду, кто руководит больницей?

— Доктор Кингсли.

— Я хочу его видеть.

— Хорошо. — Охранник снял трубку, трижды повернул диск.

— Доктор Кингсли, это Джо с пропускного пункта. Какой-то господин хочет вас видеть. — Он посмотрел на Стива. — Как вас зовут?

— Стив Слоун. Я адвокат.

— Стив Слоун. Он адвокат... Хорошо. — Охранник положил трубку. — Сейчас за вами придут и проводят в его кабинет.

Пять минут спустя Слоун входил в кабинет доктора Гэри Кингсли, выглядевшего значительно старше своих пятидесяти с небольшим лет.

— Чем я могу вам помочь, мистер Слоун?

— Мне необходимо поговорить с вашим пациентом. Марго Познер.

— Да, да, интересный случай. Вы ее родственник?

— Нет, но я расследую возможное убийство, и она может дать очень важные показания, которые позволят найти убийцу.

— Извините. Это невозможно.

— Но...

— Мистер Слоун, поговорить с ней вам не удастся.

— Но почему?

— Потому что Марго Познер изолирована в одиночной палате для буйных. Сегодня утром она пыталась убить медсестру и двух врачей.

— Что?

— У нее раздвоение личности, и она все время зовет своего брата Тайлера и команду яхты. Успокоить ее мы можем только одним способом — сильнодействующими лекарствами.

— Господи, — выдохнул Слоун. — И когда она может выйти из этого состояния?

Доктор Кингсли покачал головой.

— Трудно сказать. Ее держат под постоянным наблюдением. Если она успокоится, мы сможем дать более точный прогноз. А пока...

Глава 32

В шесть часов утра кто-то из полицейских на борту катера охраны порта, курсировавшего по Чарлз-ривер, заметил впереди какой-то предмет.

— Внимание на левый борт! — крикнул он. — Похоже, бревно. Давайте выловим его, пока оно не пропороло кому-нибудь борт.

Бревно на поверку оказалось телом, причем не обычным телом, а набальзамированным.

Полицейские долго смотрели на него, прежде чем один выразил общую мысль: «Какого черта по Чарлз-ривер плавает набальзамированное тело?»

— Вы в этом уверены? — спрашивал лейтенант Майкл Кеннеди коронера.

— Абсолютно. Это Гарри Стенфорд. Его бальзамировали при мне. Потом мы выдали ордер на эксгумацию, а когда вырыли гроб... Впрочем, вы и так все знаете. Мы доложили в полицию о случившемся.

— Кто просил эксгумировать тело?

— Семья. Через их адвоката, Саймона Фитцджеральда.

— Я думаю, мне надо поговорить с мистером Фитцджералдом.

Вернувшись из Чикаго, Стив прямиком направился в кабинет Фитцджералда.

— Что-то у тебя побитый вид.

— Так оно и есть. Все разваливается, Саймон. У нас было три ниточки: Дмитрий Камински, Френк Тиммонз и Марго Познер. Камински мертв, за Тиммонза выдавал себя кто-то еще, Марго Познер в психушке. Нам просто не за что заце...

Из аппарата внутренней связи раздался голос секретаря:

— Мистер Фитцджералд, вас хочет видеть лейтенант Кеннеди.

— Пусть войдет.

Кеннеди вошел, широкоплечий крепыш с обветренным лицом и ничего не упускающими глазами.

— Мистер Фитцджералд?

— Да. Это мой помощник, Стив Слоун. Насколько мне известно, вы разговаривали по телефону. Чем мы можем вам помочь?

— Мы только что нашли тело Гарри Стенфорда.

— Что? Где?

— Оно плавало в Чарлз-ривер. Вы обращались за разрешением вырыть тело из могилы, не так ли?

— Да.

— Могу я узнать, почему?

Фитцджералд все ему рассказал.

— Вы не знаете, кто мог выдавать себя за этого детектива, Тиммонза? — спросил Кеннеди, выслушав адвоката.

— Нет, — ответил ему Стив. — Я говорил с Тиммонзом. Он тоже понятия не имеет, кто бы это мог быть.

Кеннеди вздохнул.

— Дело становится все интереснее и интереснее.

— Где сейчас тело Гарри Стенфорда? — спросил Стив.

— В морге. Надеюсь, вновь оно не исчезнет.

— Я тоже, — кивнул Стив. — Мы попросим Перри Уингера сравнить ДНК Гарри Стенфорда и Джулии.

Когда Стив позвонил Тайлеру и рассказал, где нашли тело его отца, Тайлер пришел в ужас.

— Какой кошмар! Кто же мог это сделать?

— Именно это мы и пытаемся выяснить, — ответил Стив.

Тайлер пришел в ярость. «Бейкер — безмозглый идиот! Он еще за это заплатит. А сейчас, — решил Тайлер, — надо срочно брать ситуацию под контроль, пока дело не зашло слишком далеко».

— Мистер Слоун, вам, возможно, известно, что меня назначили главным судьей округа Кука. Работы в суде непочатый край, и меня настоятельно просят вернуться. Я не могу затягивать отъезд и был бы очень вам признателен, если бы вы сумели ускорить прохождение завещания через суд по делам о наследствах.

— Я звонил им сегодня, — ответил Стив. — Они обещают принять решение в ближайшие три дня.

— Очень хорошо. Пожалуйста, держите меня в курсе.

— Обязательно, судья.

Стив сидел в кабинете, перебирая в памяти события последних дней. Ему вспомнился разговор со старшим инспектором Макферсоном.

«Мы обнаружили тело. Этому человеку отрубили пальцы, а потом его пристрелили несколькими пулями».

«Постойте, — мысленно воскликнул Стив. — А ведь он сказал мне не все».

Слоун схватил телефонную трубку и вновь позвонил в Австралию.

— Старший инспектор Макферсон слушает, — ответили ему.

— Добрый день, инспектор. Это опять Стив Слоун. Забыл задать вам один вопрос. Когда вы нашли тело Дмитрия Камински, не было ли при нем каких-либо документов? Понятно... Отлично... Премного вам благодарен.

Когда Стив положил трубку, секретарь сообщила ему, что лейтенант Кеннеди на второй линии.

Стив нажал соответствующую кнопку, вновь взялся за трубку.

— Лейтенант, извините, что заставил вас ждать. Звонил в Австралию.

— Полиция Нью-Йорка передала мне любопытную информацию по Хупу Малковичу. Похоже, он довольно-таки скользкий тип.

Стив вооружился ручкой.

— Говорите.

— Полиция полагает, что пекарня, в которой он работает, — всего лишь ширма для распространителей наркотиков, — Кеннеди помолчал, затем продолжил: — Малкович, несомненно, торгует наркотиками и оптом, и в розницу. Но он умен и осмотрителен. Поэтому его пока ни разу не взяли с поличным.

— Что еще?

— Полиция считает, что эти ребятки связаны с французской мафией и получают наркотики через Марсель. Если узнаю что-то еще, позвоню.

— Благодарю, лейтенант. Это очень важная информация.

Стив положил трубку, поднялся и вышел из кабинета.

— Джулия! — позвал Стив, войдя в дом.

Ответа не последовало. Его охватила паника.

— Джулия!!!

Ее убили или похитили, пронзила мозг жуткая мысль. Он ее больше не увидит.

Джулия появилась на верхней площадке лестницы.

— Стив?

Он облегченно вздохнул.

— Я уж подумал...

Он был бледен как полотно.

— Ты не заболел?

— Нет.

Она спустилась по ступеням.

— В Чикаго ты узнал то, что хотел?

Он покачал головой.

— К сожалению, нет. — Он рассказал Джулии о чикагских встречах. — Завещание зачитают в четверг, Джулия. Через три дня. И тот, кто стоит за всей этой историей, должен за это время избавиться от вас, иначе его или ее план не сработает.

Джулия шумно сглотнула.

— Вы хоть представляете себе, кто это может быть?

— Откровенно говоря... — Зазвонил телефон. — Извините. — Стив снял трубку. — Слушаю.

— Это доктор Тичнер из Флориды. Прошу прощения, что не позвонил раньше, был в отъезде.

— Доктор Тичнер, спасибо, что перезвонили. Наша фирма представляет собственность Стенфорда, переходящую наследникам.

— Чем я могу вам помочь?

— Меня интересует Вудро Стенфорд. Как я понимаю, он ваш пациент.

— Да.

— Он принимает наркотики, доктор?

— Мистер Слоун, я не имею права обсуждать с вами проблемы моих пациентов.

— Я понимаю. Но спрашиваю не из любопытства. Дело очень важное и...

— Тем не менее я ничего не могу сказать.

— Но вы дали ему направление в «Харбор гроуп клиник» на Юпитере, где он какое-то время лечился, не так ли?

Последовала долгая пауза.

— Да. Вся документация имеется в архиве.

— Благодарю вас, доктор. Это все, что меня интересовало.

Стив положил трубку и молча стоял какое-то время.

— Это невероятно!

— Что? — спросила Джулия.

— Присядьте...

Через тридцать минут Стив на своей машине уже ехал в Роуз-Хилл. Все части картинки-головоломки легли на свои места. «Он просто гений, — думал Стив. — Ведь его план почти сработал. И еще может сработать, если что-то случится с Джулией».

В Роуз-Хилл дверь ему открыл Кларк.

— Добрый вечер, мистер Слоун.

— Добрый вечер, Кларк. Судья Стенфорд дома?

— Он в библиотеке. Я доложу ему о вашем приезде.

— Благодарю.

Стив проводил Кларка взглядом. Минуту спустя дворецкий вернулся.

— Судья Стенфорд просит вас зайти.

— Благодарю.

Слоун прошел в библиотеку. Тайлер сидел за шахматной доской. Услышав шаги Стоуна, он поднял голову.

— Вы хотели меня видеть?

— Да. Я уверен, что молодая женщина, которая приезжала сюда несколько дней тому назад, — настоящая Джулия. А первая — самозванка.

— Но это невозможно!

— К сожалению, это правда, и я выяснил, кто за всем этим стоит.

Немая сцена. Затем Тайлер переспросил:

— Вы выяснили?

— Да. Боюсь, известие потрясет вас. Ваш брат Вуди.

У Тайлера словно гора свалилась с плеч.

— Вы хотите сказать, что ответственность за случившееся лежит на Вуди?

— Совершенно верно.

— Я... я не могу в это поверить.

— Я тоже не верил, но все сходится. Я говорил с врачом из Хоуб-Саунда. Вы знаете, что ваш брат постоянно принимает наркотики?

— Я... я это подозревал.

— Наркотики стоят дорого. Вуди не работает. Ему нужны деньги, поэтому он, несомненно, хочет получить большую часть наследства. Именно Вуди нанял фиктивную Джулию, а когда вы пришли к нам и попросили провести проверку ДНК, он запаниковал и выкрал тело вашего отца из могилы. Вуди не мог допустить такой проверки. Собственно, это обстоятельство и навело меня на мысль, где надо искать. Подозреваю, что это он посылал в Канзас-Сити наемного убийцу, чтобы расправиться с настоящей Джулией. Вы знаете, что брат Пегги тесно связан с наркомафией? Пока Джулия жива, то есть пока существуют две Джулии, его план сработать не может.

— Вы уверены, что все сказанное вами правда?

— Абсолютно. И это еще не все, судья.

— Неужели?

— Я думаю, ваш отец не свалился за борт во время шторма. Я уверен, что Вуди заказал убийство вашего отца. Брат Пегги мог это устроить. Мне сказали, что у него налажены связи с марсельскими бандитами. Они могли оплатить услуги кого-нибудь из матросов. Я сегодня же вылетаю в Италию, чтобы поговорить с капитаном яхты.

Тайлер, жадно ловивший каждое слово, одобрительно кивнул.

— Хорошая идея.

«Капитан Вакарро ничего не знает», — отметил он про себя.

— Я постараюсь вернуться к четвергу, чтобы успеть к оглашению завещания.

— А настоящая Джулия? — после паузы спросил Тайлер. — Вы уверены, что она в безопасности?

— О да, — ответил Стив. — Она там, где ее никто не найдет. Она в моем доме.

Глава 33

«Боги на моей стороне», — решил Тайлер. Он не мог поверить своему счастью. Судьба преподнесла ему королевский подарок. Прошлым вечером Стив Слоун отдал Джулию ему в руки. «Хол Бейкер — некомпетентный идиот, — подумал Тайлер. — На этот раз я позабочусь о Джулии сам».

Он поднял голову, когда в гостиную вошел Кларк.

— Извините, судья Стенфорд. Вас просят к телефону.

Звонил Кейт Перси.

— Тайлер?

— Да, Кейт?

— Я хотел поговорить с тобой о Марго Познер.

— Слушаю тебя.

— Мне позвонил доктор Гиффорд. Эта женщина — сумасшедшая. Она потеряла всякую связь с реальностью. Ее пришлось поместить в палату для буйных.

У Тайлера отлегло от сердца.

— Печальная новость.

— Я просто хотел сообщить, что больше она не будет докучать ни тебе, ни твоей семье.

— Спасибо, Кейт.

Одной проблемой стало меньше.

Тайлер поднялся к себе и позвонил Ли. Тот долго не брал трубку.

— Привет, Ли. — Тайлер слышал какие-то голоса.

— Кто это?

— Тайлер.

— О да. Тайлер.

Он слышал звяканье стаканов.

— У тебя гости, Ли?

— Да. Хочешь к нам присоединиться?

Тайлеру оставалось только гадать, кого пригласил к себе Ли.

— К сожалению, не получится. Я звоню тебе, чтобы сказать, что пора готовиться к путешествию, о котором мы с тобой говорили.

Ли рассмеялся.

— Ты насчет большой белой яхты и Сен-Тропеза?

— Совершенно верно.

— Как только, так сразу. Я готов в любой момент. — В голосе Ли слышалась насмешка.

— Ли, я серьезно.

— Да перестань, Тайлер. У судей яхт не бывает. Мне пора. Гости заждались.

— Подожди! — в отчаянии воскликнул Тайлер. — Ты хоть знаешь, кто я?

— Конечно. Ты...

— Я Тайлер Стенфорд, сын Гарри Стенфорда.

Последовала короткая пауза.

— Ты не шутишь?

— Нет. Я в Бостоне, решаю вопрос о наследстве.

— Бог мой! Ты тот самый Стенфорд? Я не знал. Извини. Я... я слышал об этом, но как-то не обратил внимания. Я и представить себе не мог, что ты его сын.

— Ничего страшного.

— Так ты действительно хочешь взять меня в Сен-Тропез?

— Разумеется, хочу. И не только туда. Если ты не против.

— Отнюдь! — воскликнул Ли. — Слушай, Тайлер, это чудесная новость...

Тайлер улыбался, кладя трубку на рычаг: с Ли все утряслось. Теперь, думал он, пора заняться сводной сестрой.

Тайлер прошел в библиотеку, где хранилась оружейная коллекция Гарри Стенфорда, достал ларец из красного дерева, затем выдвинул нижний ящик и взял патроны. Сунув патроны в карман, Тайлер с ларцом в руках вернулся в свою комнату, запер дверь и открыл ларец. Внутри лежали два револьвера «ругер», которые особенно нравились Гарри Стенфорду. Тайлер вытащил один, зарядил его, потом убрал ларец и оставшиеся патроны в ящик комода. «Одной пули хватит, — подумал он. Тайлера научили метко стрелять в военной академии, куда послал его отец. — Спасибо тебе, папа».

Тайлер раскрыл телефонный справочник, нашел адрес Стива Слоуна. 280 Ньюбюри-стрит, Бостон. Затем он отправился в гараж, где стояло с полдюжины автомобилей. Остановил свой выбор на черном «мерседесе». Открыл ворота, прислушался. Тишина.

По пути к дому Стива Слоуна Тайлер думал о том, что ему предстояло сделать. Сам он до этого никого не убивал. Но сейчас другого выхода просто не было. Джулия Стенфорд — последнее препятствие между ним и его мечтами. С ее смертью все проблемы уходили в прошлое. «И навсегда», — думал Тайлер.

Ехал он медленно, чтобы не привлекать внимания. По Ньюбюри-стрит проследовал мимо дома Стива. Несколько автомобилей припарковано у тротуара, ни одного прохожего.

Тайлер поставил «мерседес» в квартале от нужного ему дома, вернулся пешком. Нажал на кнопку звонка.

— Кто там? — донесся из-за двери голос Джулии.

— Судья Стенфорд.

Джулия открыла дверь. На ее лице отразилось изумление.

— Что вы тут делаете? Что-то случилось?

— Нет, нет, — улыбнулся он. — Стив Слоун попросил меня переговорить с вами. Он сказал мне, где вы. Позволите зайти?

— Да, конечно.

Тайлер прошел в холл. Джулия закрыла дверь. Провела его в гостиную.

— Стива нет. Он улетел в Сан-Ремо.

— Я знаю. — Тайлер оглянулся. — Вы одна? Домработница тут не живет?

— Нет. Я здесь в полной безопасности. Хотите что-нибудь выпить?

— Нет, благодарю.

— О чем мы должны поговорить?

— О вас, Джулия. Вы меня разочаровали.

— Разоча...

— Не следовало вам приезжать сюда. Неужели вы думаете, что вам позволят вот так просто прийти и забрать деньги, которые вам не принадлежат?

Она долго смотрела на него.

— Но я имею право на...

— Нет у вас никаких прав! — бросил Тайлер. — Где вы были все эти годы, когда отец унижал нас, издевался над нами? Он не упускал ни единой возможности причинить нам боль. Благодаря его заботам мы прошли через ад. В отличие от вас. Так что мы эти деньги заслужили. А вы нет.

— Я... и что, по-вашему, я должна сделать?

Тайлер хохотнул.

— «Что, по-вашему, я должна сделать?» Ничего. Вы уже наделали немало. Едва все не загубили.

— Я не понимаю.

— А что тут понимать? — Он достал револьвер. — Вы исчезнете.

Она отступила на шаг.

— Но я...

— Довольно разговоров. Не будем терять времени. Мы вдвоем сейчас отправимся на небольшую прогулку.

Джулия замерла.

— А если я не поеду?

— Поедете. Живая или мертвая. Выбирайте сами.

В наступившей звенящей тишине Тайлер услышал свой голос, донесшийся из соседней комнаты: «Поедете. Живая или мертвая. Выбирайте сами». Он обернулся.

— Это еще что?..

Стив Слоун, Саймон Фитцджералд, лейтенант Кеннеди и двое полицейских в форме вошли в гостиную. Стив держал в руках магнитофон.

— Дайте мне револьвер, судья, — протянул руку лейтенант Кеннеди.

Тайлер на мгновение окаменел, затем выдавил из себя улыбку.

— Разумеется. Я лишь хотел попугать эту женщину, чтобы она отсюда уехала. Она самозванка, знаете ли. — Он вложил револьвер в руку детектива. — Она пыталась заполучить часть наследства Стенфорда. Я не мог допустить мошенничества. Поэтому...

— Все кончено, судья, — оборвал его Стив.

— Что вы такое говорите? Вы сами сказали, что ответственность за случившееся несет Вуди, и...

— Такие планы Вуди не по плечу, а Кендолл добилась успеха и без денег отца. Поэтому я начал проверять вас. Дмитрия Камински убили в Австралии, но австралийская полиция нашла в его кармане листок с вашим телефонным номером. По вашему указанию он убил Гарри Стенфорда. Вы ввели в игру Марго Познер, а потом отвели подозрения от себя, заявив, что она самозванка. Вы настояли на проверке ДНК, прекрасно зная, что тела вашего отца в могиле нет. Его вырыли по вашему приказу. И именно вы звонили псевдо-Тиммонзу. Вы наняли Марго Познер на роль Джулии, а затем упекли ее в психиатрическую больницу.

Тайлер прошелся по гостиной.

— Все ваши улики — листок с телефонным номером, найденный у покойника. — В ровном, спокойном голосе Тайлера слышалась угроза. — Я не верю своим ушам. Чтобы из такой мелочи делать столь далеко идущие выводы? Доказательств у вас нет. Мой телефон в кармане Дмитрия оказался потому, что я опасался за жизнь своего отца. Я просил Дмитрия быть осмотрительнее. Вероятно, он не внял моей просьбе. Убийца отца, скорее всего, расправился и с Дмитрием. Вот кого должна искать полиция.Я позвонил Тиммонзу, потому что хотел докопаться до истины. Кто-то его подменил. Кто именно, не имею понятия. И если вы не сможете найти этого самозванца и доказать, что он как-то связан со мной, улик у вас нет. Что же касается Марго Познер, я действительно поверил, что она наша сестра. Когда эта женщина внезапно сошла с ума, начала скупать все подряд и пригрозила, что убьет нас, я убедил ее вернуться в Чикаго. Да, она оказалась в психиатрической больнице не без моего участия. Я хотел оградить семью. Незачем прессе знать об этой неприятной истории.

— Но вы пришли, чтобы убить меня, — подала голос Джулия.

Тайлер покачал головой.

— Намерения убивать у меня не было. Вы самозванка. Я просто хотел вас напугать.

— Вы лжете.

Тайлер повернулся к остальным.

— И вот что вам следовало бы учесть. Вполне возможно, что никто из родственников в происходящем не замешан. Ниточки могут тянуться к совершенно постороннему человеку. Именно он мог подсунуть нам самозванку и убедить нас, что она наша сестра, а затем разделить с ней ее долю наследства. Такая мысль не приходила вам в голову?

Он посмотрел на Саймона Фитцджералда.

— Я намерен подать на вас в суд за клевету и обчистить вас до последнего цента. Мои свидетели перед вами. Вы еще горько пожалеете о том, что связались со мной. У меня миллиарды, и я воспользуюсь ими, чтобы растоптать вас. — Взгляд его переместился на Стива. — Я обещаю вам, что после оглашения завещания адвокатом вам больше не быть. А теперь, если, конечно, вы не хотите арестовать меня за незаконное ношение оружия, позвольте откланяться.

Мужчины в замешательстве переглянулись.

— Не хотите? Тогда прощайте.

В бессилии они наблюдали, как судья Стенфорд идет к двери.

Лейтенант Кеннеди первым обрел дар речи.

— Бог мой! Вы в это верите?

— Он блефует, — ответил Стив.

— Но мы ничего не можем доказать. Тут он прав. Нам нужны доказательства. Я думал, он сломается, но недооценил его.

— Похоже, мы вызвали огонь на себя, — добавил Саймон Фитцджералд. — Без Дмитрия Камински и показаний этой Познер у нас на руках только подозрения.

— Но он же покушался на мою жизнь! — воскликнула Джулия.

— Вы слышали, что он сказал, — вздохнул Стив. — Он просто пытался напугать вас, полагая, что вы самозванка.

— Он не пугал меня, — возразила Джулия. — Если бы не вы, он бы меня убил.

— Я знаю. Но сделать мы ничего не можем. Еще Диккенс говорил: «Закон — дерьмо...» Мы вернулись в отправную точку.

Фитцджералд хмурился.

— Все гораздо хуже, Стив. Тайлер наверняка подаст на нас в суд. Если мы не сможем доказать наши обвинения, положение у нас незавидное.

Когда все ушли, Джулия подошла к Стиву.

— Извините, что так вышло. В определенном смысле виновата только я. Если бы я не приехала...

— Не говорите глупостей, — оборвал ее Стив.

— Но он сказал, что уничтожит вас. Ему это по силам?

Стив пожал плечами.

— Поживем — увидим.

Джулия помялась.

— Стив, я бы хотела вам помочь.

Он повернулся к ней.

— В каком смысле?

— Я же унаследую кучу денег. Я готова отдать их вам, чтобы вы могли...

Он положил руки ей на плечи.

— Спасибо, Джулия. Я не смогу взять ваши деньги. Все будет в порядке.

— Но...

— Обо мне не беспокойтесь.

По ее телу пробежала дрожь.

— Он плохой человек.

— Вы проявили незаурядное мужество.

— Вы же сказали, другого пути вывести его на чистую воду нет, поэтому я подумала, что вы готовите ему западню.

— К сожалению, на данный момент в западне оказались мы, не так ли?

В ту ночь, лежа в постели, Джулия думала о Стиве, гадала, как она сможет его защитить. «Не следовало мне приезжать, — корила она себя. — Но, не приехав, я бы не встретила его».

В соседней комнате Стив думал о Джулии. Она же совсем рядом, их разделяет лишь тонкая стена. «О чем я говорю, — одернул он себя. — Эта стена толщиной в миллиард долларов».

Домой Тайлер возвращался в превосходном настроении. Ему хотелось петь. Как ловко он обвел их вокруг пальца. «Напрасно эти пигмеи пытаются свалить гиганта», — подумал он. Он понятия не имел, что эту мысль теми же словами сформулировал его отец, имея в виду своих противников.

Когда Тайлер прибыл в Роуз-Хилл, его встретил Кларк.

— Добрый вечер, судья Тайлер. Надеюсь, у вас все в порядке.

— Лучше и быть не может, Кларк.

— Хотите покушать? Что-нибудь выпьете?

— Да. Не откажусь от бокала шампанского.

— Сию минуту, сэр.

«Есть, что отметить, — думал он. — Послезавтра я буду стоить больше двух миллиардов долларов». Цифра эта не выходила у него из головы. «Два миллиарда долларов... два миллиарда долларов...» Он решил позвонить Ли.

На этот раз Ли сразу узнал его голос.

— Тайлер? Как поживаешь? — Какие теплые интонации!

— Прекрасно, Ли.

— Я ждал твоего звонка.

Тайлер затрепетал.

— Правда? А почему бы тебе послезавтра не прилететь в Бостон?

— Я могу... но зачем?

— На оглашение завещания. Я должен унаследовать больше двух миллиардов долларов.

— Да... это фантастика!

— Я хочу, чтобы ты был рядом со мной. Мы вместе поедем покупать яхту.

— О Тайлер! Отличная идея!

— Так ты прилетишь?

— Ну разумеется.

Положив трубку, Ли повторял снова и снова: «Два миллиарда долларов... два миллиарда долларов...»

Глава 34

За день до оглашения завещания Кендолл и Вуди сидели в кабинете Стива Слоуна.

— Я не понимаю, зачем вы нас вызвали, — возмущался Вуди. — Завещание должны огласить завтра.

— Я хочу, чтобы вы встретились с одним человеком.

— С кем это?

— С вашей сестрой.

Они оба впились в Стива взглядом.

— Мы уже встретились с ней, — ответила Кендолл.

Стив надавил кнопку аппарата внутренней связи.

— Пожалуйста, попросите ее войти.

Кендолл и Вуди переглянулись. Открылась дверь, и в кабинет вошла Джулия Стенфорд. Стив встал.

— Это ваша сестра Джулия.

— Что вы такое говорите? — взорвался Вуди. — Что вы тут затеяли?

— Позвольте объяснить, — ответил Стив тихо и спокойно.

Говорил он пятнадцать минут, закончив следующими словами:

— Перри Уингер подтвердил, что у нее и у вашего отца ДНК совпадают.

— Тайлер! — воскликнул Вуди. — Я не могу в это поверить!

— Придется поверить.

— Я ничего не понимаю. — Вуди покачал головой. — Отпечатки пальцев той женщины однозначно доказывали, что она Джулия Стенфорд. Карточка с ее отпечатками все еще у меня.

У Стива участился пульс.

— У вас?

— Да. Я сохранил ее ради шутки.

— Я хочу попросить вас об одной услуге, — подался вперед Стив.

На следующее утро, в десять часов, в конференц-зале адвокатской конторы «Ренкуист, Ренкуист и Фитцджералд» собралось довольно много народа. Саймон Фитцджералд занял место во главе стола. Присутствовали Кендолл, Тайлер, Вуди, Стив, Джулия и еще несколько незнакомых им мужчин.

Фитцджералд представил двоих.

— Это Уильям Паркер и Патрик Эванс. Они работают в юридических фирмах, ведущих дела «Стенфорд энтерпрайзез». Они принесли с собой финансовый отчет корпорации. Сначала я оглашу завещание, а потом передам слово им.

— Давайте начинать, — нетерпеливо воскликнул Тайлер.

Он сидел отдельно от остальных. «Я не только получу деньги, — думал Тайлер, — но и раздавлю этих мерзавцев».

Саймон Фитцджералд кивнул.

— Очень хорошо.

Перед Фитцджералдом лежала большая папка с надписью:

«ГАРРИ СТЕНФОРД — ПОСЛЕДНЯЯ ВОЛЯ И ЗАВЕЩАНИЕ».

— Я раздам каждому копию завещания, чтобы не зачитывать его вслух. Как я уже говорил вам, каждый из детей Гарри Стенфорда получает равную долю наследства.

Джулия посмотрела на Стива. Ее лицо сияло. «Я рад за нее, — подумал Стив. — Рад, хотя теперь она мне уже не пара».

— В завещании указаны еще с дюжину человек, но всем им отписаны либо небольшие суммы, либо кое-какое движимое имущество.

«Ли прилетает во второй половине дня, — думал Тайлер. — Надо бы встретить его в аэропорту».

— Как я уже говорил, активы «Стенфорд энтерпрайзез» оцениваются примерно в шесть миллиардов долларов. — Саймон Фитцджералд посмотрел на Уильяма Паркера. — А теперь позвольте передать слово мистеру Паркеру.

Уильям Паркер открыл «дипломат», достал какие-то бумаги, положил их на стол.

— Как только что отметил мистер Фитцджералд, активы «Стенфорд энтерпрайзез» составляют шесть миллиардов долларов. Однако... — Последовала театральная пауза. Паркер оглядел присутствующих. — Долги «Стенфорд энтерпрайзез» приближаются к пятнадцати миллиардам долларов.

Вуди вскочил.

— Что вы такое говорите?

У Тайлера посерело лицо.

— Это какая-то дьявольская шутка?

— Иначе и быть не может! — У Кендолл сел голос.

Мистер Паркер повернулся к одному из еще не представленных наследникам мужчин.

— Мистер Леонард Реддинг работает в Федеральной комиссии по ценным бумагам. Он вам все объяснит.

Реддинг кивнул.

— Последние два года Гарри Стенфорд полагал, что процентные ставки должны падать. В прошлом он заработал миллионы, правильно предугадав начало падения ставок. Когда процентные ставки начали подниматься, он продолжал пребывать в уверенности, что они вот-вот упадут, и не изменял ранее избранной тактике. Он занимал крупные суммы под покупку долгосрочных ценных бумаг, процентные ставки продолжали расти, с ними росли и долги, а стоимость ценных бумаг снижалась. Банки шли ему навстречу, учитывая его репутацию и огромное состояние, но и они заволновались, когда Гарри Стенфорд, чтобы компенсировать потери, начал вкладывать деньги в рискованные предприятия. И многие инвестиции действительно оказались неудачными. Он занимал деньги под залог ценных бумаг, купленных на уже занятые деньги.

— Другими словами, — вмешался Патрик Эванс, — он действовал незаконно.

— Совершенно верно. К несчастью для него, процентные ставки поднялись на беспрецедентную для современной финансовой истории высоту. Стенфорду приходилось занимать деньги, чтобы отдавать прежние долги. Получался замкнутый круг.

Наследники сидели, ловя каждое слово Реддинга.

— Ваш отец дал личные гарантии пенсионному фонду корпорации и незаконно использовал эти деньги на покупку ценных бумаг. Когда банки начали спрашивать, что он делает, Стенфорд ответил созданием липовых компаний и предоставлением фиктивных отчетов о платежеспособности своих предприятий. Тем самым он совершил подлог. Он рассчитывал, что консорциум банков даст ему деньги, чтобы удержаться на плаву. Они отказались. Когда же они поставили в известность Федеральную комиссию по ценным бумагам, последняя обратилась в Интерпол.

Реддинг указал на сидящего рядом с ним мужчину.

— Это инспектор Пату из французской полиции. Инспектор, прошу вас.

Инспектор Пату говорил по-английски с легким французским акцентом.

— По требованию Интерпола мы выяснили, что Гарри Стенфорд находится в Сен-Поль-де-Ванс. Я послал трех детективов, чтобы они организовали постоянную слежку. Стенфорду удалось от них скрыться. Интерпол направил всем полицейским управлениям зеленую карту, означающую, что Гарри Стенфорд находится под подозрением и за ним надо следить. Если б они знали, сколь велики его финансовые махинации, то мы получили бы красную карту и немедленно арестовали бы его.

Вуди сидел словно пораженный громом.

— Так вот почему он завещал нам все свое состояние. Потому что оно не стоило ни цента!

Уильям Паркер кивнул.

— Вы, несомненно, правы. Отец отписал все вам, так как знал, что разорен дотла. А потом у него состоялся разговор с Рене Готье из «Лионского кредита», который пообещал ему помочь. В тот момент Гарри Стенфорд подумал, что все трудности позади, и решил изменить завещание, вычеркнуть вас всех.

— А как же яхта, самолет, Роуз-Хилл? — спросила Кендолл.

— К сожалению, все будет продано, чтобы частично расплатиться с долгами, — ответил Паркер.

Тайлер уставился в стол. Невероятно. Он больше не миллиардер Тайлер Стенфорд. Он опять просто судья.

Тайлер поднялся.

— Я... я не знаю, что тут можно еще сказать. Если больше вам сообщить нечего... — «Надо ехать в аэропорт, встретиться с Ли, все ему объяснить».

— Кое-что есть, — остановил его Стив Слоун.

Тайлер повернулся к нему.

— Что же?

Стив кивнул стоящему у двери мужчине. Дверь открылась, и в конференц-зал вошел Хол Бейкер.

— Привет, судья.

Поворот к лучшему произошел, как только Вуди упомянул о карточке с отпечатками пальцев.

— Пожалуйста, привезите ее, — попросил Стив. — Я хочу взглянуть на нее.

— Но зачем? — удивился Вуди. — На ней лишь отпечатки пальцев женщины, которая совсем не наша сестра.

— Снимал-то отпечатки пальцев мужчина, назвавшийся Френком Тиммонзом, так?

— Да.

— Если он прикасался к карточке, на ней обязательно остались его «пальчики».

Стив не ошибся. Отпечатков Хола Бейкера хватало, и через полчаса компьютер опознал его. Стив позвонил окружному прокурору в Чикаго. С его подачи судья выписал ордер на арест, и два детектива пришли в дом Хола Бейкера.

Он играл в салочки с Билли.

— Мистер Бейкер?

— Да.

Детективы показали свои бляхи.

— Окружной прокурор хочет с вами поговорить.

— Сейчас я не могу, — негодующе ответил Бейкер.

— Позвольте спросить, почему? — полюбопытствовал один из детективов.

— Разве вы не видите? Я же играю с сыном!

Окружной прокурор прочитал стенограмму судебного процесса над Бейкером, а потому знал, как вести себя с сидящим перед ним человеком.

— Как я понимаю, вы во главу угла ставите семью.

— Совершенно верно, — гордо ответил Бейкер. — Страна начинается с семьи. Если каждая семья...

— Мистер Бейкер, — окружной прокурор наклонился к нему, —вы работали на судью Стенфорда.

— Не знаю я никакого судью Стенфорда.

— Позвольте мне освежить вашу память. Он дал вам срок условно. С его подачи вы выступили в роли частного детектива Френка Тиммонза. У нас есть основания полагать, что он просил вас убить некую Джулию Стенфорд.

— Я не понимаю, о чем вы говорите.

— Я говорю о тюремном заключении от десяти до двадцати лет. Я буду просить, чтобы вам дали двадцать.

Хол Бейкер побледнел.

— Вы не можете так поступить со мной! Мои жена и дети...

— Так оно и будет. С другой стороны, если вы готовы выступить свидетелем обвинения, я позабочусь о том, чтобы вы отделались очень легко.

Хол Бейкер разом вспотел.

— Что... что я должен сделать?

— Откровенно все рассказать...

И теперь в конференц-зале адвокатской конторы «Ренкуист, Ренкуист и Фитцджералд» Хол Бейкер стоял лицом к лицу с Тайлером Стенфордом.

— Как поживаете, судья?

— Эй! — воскликнул Вуди. — Да это же Френк Тиммонз!

Стив обратился к Тайлеру.

— Этому человеку вы приказали тайком проникнуть в помещения, занимаемые нашей фирмой, и снять копию завещания вашего отца. По вашему же приказу

364

он вырыл тело вашего отца и пытался убить Джулию Стенфорд.

Тайлер, однако, быстро пришел в себя.

— Да вы сумасшедший. Он же неоднократно судимый преступник. Кто ему поверит, если я буду утверждать обратное?

— Никому и не надо ему верить. Ранее вы уже видели этого человека?

— Конечно. Я же его судил.

— И как его зовут?

— Его зовут... — Тайлер заметил ловушку. — Я хочу сказать... наверное, у него много вымышленных имен.

— На судебном процессе, который вы вели, его звали Хол Бейкер.

— Да... совершенно верно.

— Однако в Бостоне вы представили его как Френка Тиммонза.

Тайлер не нашелся с ответом.

— Ну... я... я...

— Его освободили под ваше поручительство, и вы использовали его, чтобы убедить брата и сестру в том, что Марго Познер — настоящая Джулия.

— Нет! Я не имею к этому ни малейшего отношения. Я впервые увидел ту женщину в Бостоне.

Стив повернулся к лейтенанту Кеннеди.

— Вы это запомнили, лейтенант?

— Да.

Стив посмотрел на Тайлера.

— Мы навели справки о Марго Познер. Вы вели и ее судебный процесс, а потом Марго освободили под ваше поручительство. Окружной прокурор Чикаго сегодня утром получил ордер на обыск вашего банковского сейфа. Недавно он позвонил мне, чтобы сказать о найденном в сейфе любопытном документе. Согласно ему Джулия Стенфорд передает вам свою долю наследства. Подписан документ за пять дней до ее появления в Бостоне.

Тайлер тяжело дышал, пытаясь взять себя в руки.

— Я... я... Это нелепо!

— Вы арестованы, судья Стенфорд, по обвинению в подготовке убийства. Мы оформим необходимые документы и отправим вас в Чикаго.

Тайлер пошатнулся. Его мир рухнул, как карточный домик.

— Вы имеете право молчать. Если вы откажетесь от этого права, все сказанное вами может быть использовано против вас на судебном процессе. Вы имеете право говорить с адвокатом и требовать его присутствия, когда вам будут задавать вопросы. Если у вас нет средств, чтобы нанять адвоката, его назначит вам суд, а до этого допрашивать вас не будут. Вы меня поняли? — спросил лейтенант Кеннеди.

— Да. — Внезапно лицо Тайлера осветила победная улыбка. «Я знаю, как переиграть их», — подумал он.

— Вы готовы, судья?

Он кивнул.

— Да, готов. Я хотел бы вернуться в Роуз-Хилл и собрать вещи.

— Очень хорошо. Два полисмена составят вам компанию.

Тайлер повернулся к Джулии, и было столько ненависти в его взгляде, что она поневоле задрожала.

Через полчаса Тайлер и двое полицейских приехали в Роуз-Хилл. Они вошли в холл.

— Мне нужно лишь несколько минут, чтобы собрать вещи, — заверил их Тайлер.

Полицейские наблюдали, как он поднимается по лестнице на второй этаж. В своей комнате Тайлер подошел к комоду, достал второй револьвер, зарядил его. Эхо выстрела гулко разнеслось по дому.

Глава 35

Вуди и Кендолл сидели в гостиной Роуз-Хилл. Мужчины в белых комбинезонах снимали картины со стен, выносили мебель.

— Конец эпохи, — вздохнула Кендолл.

— Скорее, начало, — ответил Вуди и улыбнулся. — Хотел бы я видеть лицо Пегги, когда она узнает, сколь велика моя часть наследства. — Он взял сестру за руку. — Ты в порядке? Я имею в виду Марка.

Она кивнула.

— Я это переживу. И потом, я слишком занята, чтобы думать о нем. Через две недели предварительное судебное разбирательство. Дальше я загадывать не хочу.

— Я уверен, все образуется. — Вуди встал. — Мне надо позвонить.

Он хотел рассказать обо всем Мими Карсон.

— Мими, — в голосе Вуди слышались извиняющиеся нотки, — боюсь, нам придется вернуться к прежней договоренности. Все вышло не так, как я рассчитывал.

— Как ты, Вуди?

— У меня все нормально. Мы с Пегги разбежались в разные стороны.

— Будь уверена. Ты выйдешь за меня замуж?

— Да!

Кендолл вышла во внутренний дворик. В руке ее белел листок.

— Я... я только что получила вот это по почте.

Стив сразу встревожился.

— Неужели опять...

— Нет. Меня избрали «Модельером года» в номинации «Женская одежда».

Вуди, Кендолл, Джулия и Стив сидели в столовой. Рабочие выносили кресла и диваны.

Стив повернулся к Вуди.

— Какие у вас планы?

— Я возвращаюсь в Хоуб-Саунд. Первым делом обращусь к доктору Тичнеру. А потом буду играть в поло на пони одной моей близкой знакомой.

Кендолл посмотрела на Джулию.

— А вы возвращаетесь в Канзас-Сити?

«Когда я была маленькой девочкой, — думала Джулия, — я мечтала о том, чтобы кто-нибудь унес меня из Канзаса в волшебную страну, где я могла бы найти своего принца».

Она взяла Стива за руку.

— Нет. Я не возвращаюсь в Канзас.

Они наблюдали, как двое рабочих снимают со стены огромный портрет Гарри Стенфорда.

— Мне никогда он не нравился, — вырвалось у Вуди.

Последовала долгая пауза.

— Правда? Ты возвращаешься в Хоуб-Саунд?

— Честно говоря, я не знаю, что и делать.

— Вуди?

— Что?

— Пожалуйста, приезжай.

Джулия и Стив стояли во внутреннем дворике.

— Жаль, что все так вышло. Я про деньги, которые вы так и не получили.

Джулия улыбнулась.

— Откровенно говоря, сто поваров мне и не нужны.

— Вы не разочарованы тем, что приехали сюда впустую?

Она заглянула ему в глаза.

— Так уж и впустую, Стив?

Трудно сказать, кто первым шагнул вперед, н мгновение спустя он сжимал ее в объятиях. Они пош ловались.

— Мне захотелось обнять тебя при первой же наш встрече.

Джулия покачала головой.

— При первой встрече ты предложил мне убр из города!

Он улыбнулся.

— Неужели предложил? На самом деле я не чтобы ты уезжала.

Ей вспомнились слова Салли. Женщина, м зана сразу понять, что мужчина делает ей предл

— Это предложение? — спросила Джулия.

Он еще крепче прижал ее к груди.

Литературно-художественное издание

Шелдон Сидни

Утро, день, ночь

Художественный редактор О.Н.Адаскина
Компьютерный дизайн А.А.Кудрявцев

Подписано в печать с готовых диапозитивов 29.03.99. Формат
84×108¹/₃₂. Бумага типографская. Гарнитура Петербург. Печать
высокая с ФПФ. Усл. печ. л. 21. Усл. кр.-отт. 21,42. Доп. тираж
10 000 экз. Заказ 2645.

ООО "Фирма "Издательство АСТ"
Лицензия ЛР № 066236 от 22.12.98.
366720, РФ, Республика Ингушетия,
г. Назрань, ул. Московская, 13а
Наши электронные адреса:
WWW.AST.RU
E-mail: AST@POSTMAN.RU

При участии ООО «Харвест». Лицензия ЛВ № 32 от 27.08.97.
220013, Минск, ул. Я. Коласа, 35-305.

Ордена Трудового Красного Знамени полиграфкомбинат ППП
им. Я. Коласа. 220005, Минск, ул. Красная, 23.

Качество печати соответствует качеству предоставленных из-
дательством диапозитивов.

СОЧИНЕНИЯ
СИДНИ ШЕЛДОНА

В издательстве АСТ выходят все романы самого популярного в мире автора остросюжетных произведений, книги, ставшие бестселлерами более чем в 100 странах мира. В восьмитомник включен новый роман писателя "Утро, день, ночь".

Сидни Шелдон

Ничто не вечно

Детективная мелодрама о судьбе трех молодых женщин, после окончания медицинских колледжей поступивших на работу в одну из больниц Сан-Франциско.

Сидни Шелдон

Гнев ангелов

Дженнифер Паркер — блестящая, очаровательная и неукротимая женщина, самый обаятельный юрист Америки. Ее жизнь тесно переплетена с жизнью двух мужчин. Один из них — политик, которому судьбой предназначено достичь высших вершин власти — становится отцом ее ребенка. Другой — глава мафии, единственный, кто поддерживает ее в тяжелую минуту, но он же и разбивает ее судьбу.

Сидни Шелдон

Мельницы богов

Остросюжетный политический детектив. В центре повествования — скромный преподаватель политологии в провинциальном университете Мэри Эшли, которая волей обстоятельств становится послом США в Румынии. Реакционная международная организация "Патриоты свободы" готовит ее убийство, чтобы скомпрометировать программу "народной дипломатии", осуществляемую американским президентом.

Сидни Шелдон

Если наступит завтра

Захватывающий роман-мелодрама о невероятных ограблениях, которые совершает бывшая скромная служащая банка после того, как сама стала жертвой новоорлеанской мафии. Она борется с мошенниками их же приемами и постоянно переигрывает их, получая, впрочем, от этого не только моральное, но и вполне ощутимое материальное удовлетворение.

Сидни Шелдон

Пески времени

Испания, 70-е годы...

В поисках легендарного главаря баскских повстанцев отряд особого назначения нападает на женский монастырь. Спасаясь от солдат, из него убегают четыре монахини. Разные судьбы привели их в обитель Господа, разные цели преследуют они, покинув ее. Через многие испытания придется пройти им, прежде чем закончится их полное опасностей и драматизма путешествие.

Сидни Шелдон

Сорвать маску

"Сорвать маску" - первый роман Сидни Шелдона. Этот захватывающий триллер принес ему известность и любовь читателей.

Сидни Шелдон

Интриганка

В жизни героини этого романа Кэйт Блэкуэлл было все — любовь и богатство, захватывающие приключения и невероятные коммерческие сделки. Но счастлива ли она? Действительно ли она стала "хозяйкой жизни" или осталась беспринципной интриганкой, какой она была в те годы, когда создавала основу колоссального богатства клана Блэкуэллов?

Сидни Шелдон

Узы крови

В основе романа лежит расследование загадочной смерти президента международного концерна "Рофф и сыновья". В этом преступлении оказываются кровно заинтересованными практически все ближайшие родственники и помощники убитого, но дело своего отца продолжает очаровательная двадцатичетырехлетняя Элизабет Рофф, и в результате ее жизнь также подвергается смертельной опасности.

Сидни Шелдон
Звезды сияют с небес

Ум, красота, предприимчивость, смелость — все это помогает Ларе Камерон, бедной девочке из провинциального городка, стать хозяйкой огромной строительной империи, одной из самых богатых женщин Америки. Путь этот труден и не прям, ее ждут взлеты и падения, ей придется столкнуться с предательством друзей и с местью врагов.

Сидни Шелдон

Незнакомец в зеркале

Герой романа "Незнакомец в зеркале" — талантливый комик Тоби Темпл, суперзвезда шоу-бизнеса — влюбляется в молодую актрису, пытающуюся пробиться в звезды кино. Тоби не ведает, что возлюбленная, однажды чудом спасшая ему жизнь, станет его палачом.

Сидни Шелдон
Конец света

Международная организация уничтожает очевидцев катастрофы НЛО, разбившегося в Швейцарии. Разыскивает их секретный агент, который, выполнив задание, сам оказывается в положении мишени: его ищут, чтобы убить.

Сидни Шелдон

Оборотная сторона полуночи

Роман начинается и заканчивается судом над американским летчиком Ларри Дугласом и его любовницей, обвиняющимися в убийстве жены Ларри. На страницах книги, между началом и завершением судебного процесса, автор, возвращая действие в прошлое, рассказывает о тридцати годах жизни героев.

В серии "Откровение"
в ближайшее время выйдут:

В серии "Очарование"
в ближайшее время выйдут:

В серии "Страсть"
в ближайшее время выйдут:

Серия
"Хроники Века Дракона"

"Хроники Века Дракона" – истинный подарок для тех поклонников литературы фэнтези, которым жаль расставаться с полюбившимися героями и мирами. В этой серии мы представляем вам циклы произведений признанных мастеров жанра – Терри Брукса, Глена Кука, Ричарда Кнаака, Стивена Дональдсона, Гордона Диксона, Кристофера Раули и многих других. Новые приключения хорошо знакомых персонажей, новые опасности и победы...

Дорогие читатели!

В "Хрониках Века Дракона"
выходят сериалы

Глена Кука

Стивена Дональдсона

Гарри Тертлдава

кроме того, к печати
готовятся сериалы

Кристофера Раули
Ричарда Кнаака
Гордона Диксона
Джека Чалкера

и других популярных авторов